Voyage en

BRETAGNE

TEXTE

SERGE DUIGOU

Ils ont beau exister depuis plus de deux cents ans, les départements ne seront jamais, en Bretagne, les entités les plus pertinentes. Car ici on se perçoit d'abord d'un pays, qu'on entend au sens culturel de terroir.

Sous l'Ancien Régime, les évêchés déterminaient l'appartenance première de la population. Dans les diocèses de Basse-Bretagne, on était cornouaillais (Quimper), léonard (Saint-Pol-de-Léon), vannetais (Vannes), trégorois (Tréguier). Et chacun s'exprimait dans son propre dialecte breton.

Mais à l'intérieur de chaque évêché, que de différences ! On franchissait un ruisseau insignifiant et, sans crier gare, à la première ferme rencontrée, le costume et la coiffe n'étaient plus les mêmes. On avait changé de pays. C'est ainsi qu'autour du pays glazik de la capitale elle-même, la Cornouaille comprend notamment le Porzay, la presqu'île de Crozon, le Cap Sizun, le pays bigouden, le pays fouesnantais et d'autres moins connus — comme le pays mélénik —, ou de la dimension d'une seule paroisse (Plougastel-Daoulas).

Un pays coïncidait la plupart du temps avec la zone d'attraction d'une ville de foires et marchés. À force de se côtoyer, des paroisses prenaient conscience de partager un même destin. Il en résultait des traditions vestimentaires, langagières (dialecte breton ou gallo), culinaires, musicales (instruments, chant et danse), ainsi qu'un habitat, un mobilier propres.

Au bout du compte, il en découlait une mentalité, une psychologie, des manières d'être, qui mettaient en branle les ressorts les plus fondamentaux des habitants.

Sources d'émulation, souvent de rivalités entre pays voisins, ces spécificités ont donné lieu à une typologie reconnue par tous. Le Léon, austère «terre des prêtres», ne saurait se confondre avec le pays bigouden où caracole le «cheval d'orgueil». Ni avec le Trégor voisin, plus amoureux des choses de la vie.

Le pays est appelé à prendre davantage d'importance dans le domaine économique mais aussi, à terme, sur le plan administratif. Ce ne sont pas les habitants du Finistère qui s'en plaindront, qui n'ont jamais cessé de se penser d'abord comme Léonards au nord, Cornouaillais au sud. Ni les gens du pays de Redon, à cheval sur trois départements et deux régions !

La Manche
Archipel de Bréhat
Ploubazlanec
Paimpol
Abb. de Beauport
Trieux
Pontrieux
Plouha
Saint-Quay-Portrieux
Baie de Saint-Brieuc
Binic
Guingamp
Le Cap Fréhel
Fort-la-Latte
Erquy
St-Cast
Le Val-André
Côte d' Émeraude
St-Lunaire
Dinard
Cancale
SAINT-MALO
Rance
Le Mont St-Michel
Dol-de-Bretagne
SAINT-BRIEUC
Lamballe
Dinan
Combourg
Fougères
Montmuran
Bécherel
Hédé
Landes du Ménez
Abb. de Bon-Repos
Mûr-de-Bretagne
Loudéac
St-Aignan
Cléguérec
Canal de Nantes à Brest
Pontivy
Vilaine
Vitré
RENNES
Forêt de Brocéliande
Paimpont
Tréhorenteuc
Trécesson
Josselin
Ploërmel
MORBIHAN
ILLE-ET VILAINE
La Roche aux Fées
Blavet
Locminé
Baud
Oust
Malestroit
Landes de Lanvaux
La Gacilly
Châteaubriant
St-Anne-d'Auray
Rochefort-en-Terre
L'Île-aux-Pies
VANNES
Auray
Questembert
Redon
Erdeven
Arradon
Séné
La Trinité s/M.
Larmor-B.
Île d'Arz
St-Philibert
Île aux Moines
St-Armel
Vilaine
LOIRE ATLANTIQUE
Locmariaquer
Muzillac
Port-Navalo
Sarzeau
Damgan-Pénerf
La Roche-Bernard
Ch. de Suscinio
Chapelle de Penvins
Barrage d'Arzal
Quiberon
St-Gildas de-Rhuys
Pénestin
Sillon de Bretagne
Île de Houat
Piriac-sur-Mer
La Brière
Île d'Hœdic
La Turballe
Guérande
SAINT-NAZAIRE
NANTES
Le Croisic
La Baule
La Loire
Belle-Île-en-Mer
Batz-sur-Mer
Le Pouliguen
Pornichet
Côte d' Amour

L'ARGOAT

Quelle injustice d'assimiler la Bretagne seulement à son littoral et ses indentations, ses estuaires et ses îles. Car l'intérieur de la péninsule recèle une poésie, un charme, auxquels nul ne reste insensible.

Ne nous laissons pas abuser par le mot «argoat»: le pays des bois. Ce fut vrai au Moyen Âge, mais il y a longtemps que les monastères, les paroisses et la Marine Royale ont fait reculer la forêt. Sans la faire disparaître tout à fait. La plus célèbre des sylves bretonnes, Brocéliande (prosaïquement appelée Paimpont) continue à bruire dans ses sous-bois et ses clairières des aventures de la fée Viviane et de Merlin l'Enchanteur.

L'Argoat séduit par la diversité de son relief, de sa pierre, de ses paysages, de son habitat. Certes Monts d'Arrée et Montagnes Noires ne culminent qu'à 384 mètres, mais modestie n'est pas synonyme de monotonie. Au cœur du pays, le canal de Nantes à Brest se fraie un paisible chemin à travers des terroirs contrastés, où alternent un bocage parfois chahuté par un remembrement excessif et de vastes étendues de landes et tourbières.

Ici abondent des jalons essentiels de l'histoire bretonne, incarnés, par exemple, par les formidables châteaux des Rohan à Josselin et Pontivy. Ici se dissimulent des joyaux, chapelles Saint-Fiacre et Sainte-Barbe au Faouët, églises de Kernascléden et de Quelven, enclos paroissiaux de Sizun et Commana, et cent autres sanctuaires, davantage encore de manoirs, et combien de fontaines et de mégalithes ? Ici les villages, Moncontour, Rochefort-en-Terre, Lizio, arborent souvent un charme désuet, une quiétude toute provinciale, qui reposent de la fébrilité du littoral.

Terre de contrastes : Loudéac joue la carte agro-alimentaire dans ce qu'elle a de plus innovant, Bécherel s'est bâti une image originale de cité du livre. La centrale nucléaire de Brennilis — en cours de démantèlement — a dressé ses tours de béton aux franges du Yeun Elez, le marais qui abrite l'une des portes de l'Enfer.

Terre de racines, de mythes fondateurs de la Bretagne. On célèbre à Brocéliande la légende arthurienne, à Carhaix le passé gallo-romain de l'Armorique, partout les vieux saints, inconnus de Rome, venus d'outre-Manche christianiser le pays au haut Moyen Âge.

Comme en témoignent ses enseignes, à Spézet on parle breton. Partout dans la «Montagne», la région de Carhaix, on danse la gavotte dans les «festou-noz» (fêtes de nuit) les plus authentiques de la péninsule. Malgré, ou peut-être à cause de ses problèmes économiques et démographiques (certains cantons sont menacés de désertification), l'Argoat vit à l'heure bretonne.

L'ARMOR

Le pays de la mer. Mer tempétueuse ou alanguie ; mer des côtes rocheuses et des plages abritées ; mer qui creuse les estuaires, ces échancrures où air vif du large et douceur des champs se rencontrent, se fondent en un mélange subtil et infiniment changeant.

Mer faussement domptée du golfe du Morbihan, la perle du littoral méridional. Mer des falaises et des marais littoraux, refuge des oiseaux qui nichent dans les anfractuosités et les roselières.

Au-delà, les îles, Ouessant la farouche, Sein la solitaire, Bréhat la luxuriante, l'archipel des Glénan au lagon émeraude. Et ces vigies altières, les phares de haute mer, Ar Men, Kereon, La Vieille, qui ont écrit des pages glorieuses et tragiques de la saga maritime.

Mer nourricière, espace de travail de milliers de marins pêcheurs, ostréiculteurs, goémoniers, en lutte permanente pour leur survie face à la concurrence, aux réglementations européennes, à la raréfaction de la ressource. Mais Lorient, Concarneau, les ports bigoudens font mieux que résister à une conjoncture pleine d'incertitudes. Le retour des chalutiers et la vente du poisson et des crustacés à la criée sous la halle à marée en fin d'après-midi en apprennent plus sur les Bretons que tous les traités du monde.

Mer cruelle, des naufrages, des pilleurs d'épaves jadis ; et en même temps mer de l'héroïsme au quotidien, des sauveteurs toujours sur le qui-vive. Mer des navigateurs aux yeux pétris de rêve, n'est-ce pas Eric Tabarly ?

Loin de se réduire à une mince frange littorale, l'Armor englobe les terroirs qui peu ou prou ressentent la présence du grand large. Quimper sur l'Odet, Landerneau sur l'Elorn, Lannion sur le Léguer, nombre de villes bretonnes se sont édifiées au fond des estuaires, là où l'expiration de la marée a permis la construction d'un gué ou d'un pont, et la naissance d'un port de commerce.

La Bretagne ne serait pas la Bretagne sans l'océan qui la sculpte, la fouette, la nourrit. Manche au nord, mer d'Iroise à l'ouest, Atlantique au sud, chaque façade maritime a sa propre identité, son propre «climat». Depuis la nuit des temps, y compris dans son imaginaire, comme en témoignent les légendes de la ville d'Ys et de Tristan et Iseut, la péninsule fait corps avec l'élément liquide.

Tandis que sous Louis XIV, surgissaient deux grands ports, le Ponant à Brest, la Compagnie des Indes à Lorient, l'océan et ses trafics en tous genres faisaient la fortune de Saint-Malo, la cité corsaire, et de Nantes, championne rétrospectivement un peu honteuse de la traite des Noirs.

La mer a forgé et forgera encore longtemps la personnalité de la Bretagne… et des Bretons.

Le Finistère

VOYAGE EN BRETAGNE

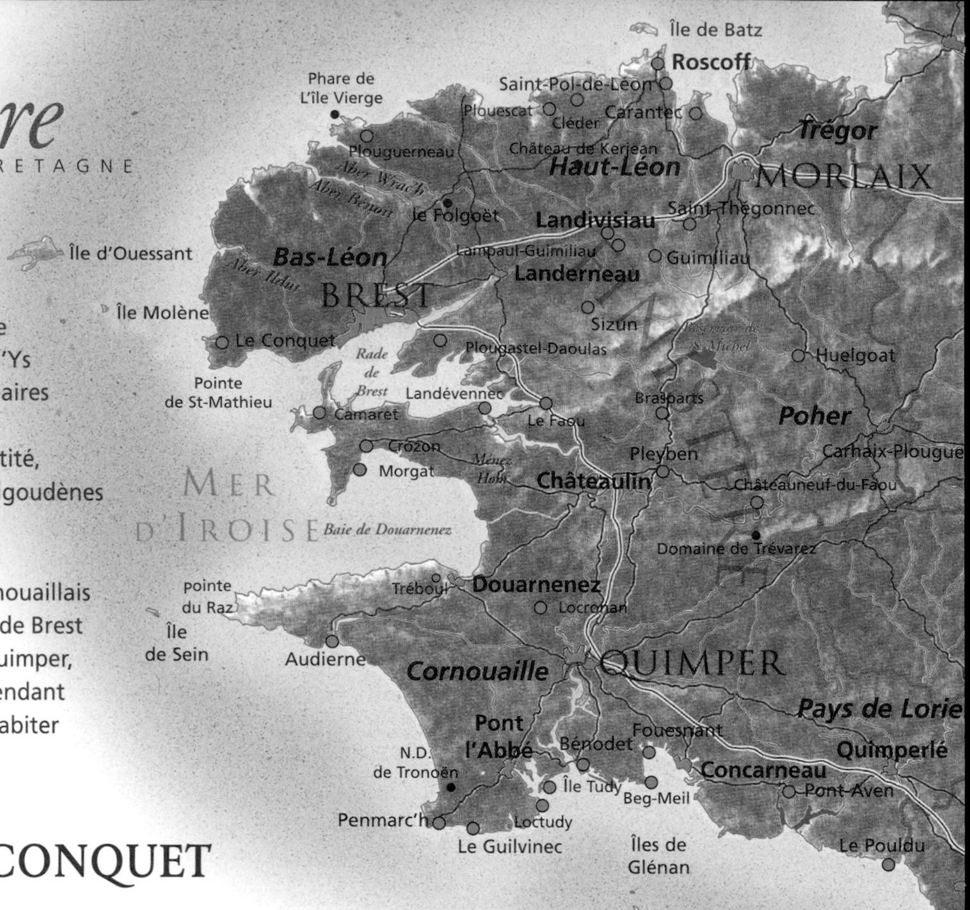

Le Finistère, terre de paradoxes. Cerné par la mer sur trois côtés, c'est le département le plus agricole de France. Les légendes de la ville d'Ys voisinent avec les sous-marins nucléaires de l'île-Longue. Les Finistériens sont solidement arrimés à leur identité, au point que les dernières coiffes bigoudènes symbolisent désormais la Bretagne tout entière. Mais quelle diversité ! Entre le Léonard rigoriste et le Cornouaillais plus insouciant, entre les habitants de Brest la neuve, la Française, et ceux de Quimper, l'historique, la Bretonne. Tous, cependant se rejoignent dans le sentiment d'habiter un pays à nul autre pareil.

LE CONQUET

Le Conquet était, au XVIe siècle, l'un des ports bretons d'importance européenne. Non seulement les nombreux navires qui contournaient la pointe de la Bretagne y faisaient relâche, mais le port armait une imposante flottille de commerce. Les capitaines marchands chargeaient sur la façade atlantique un fret diversifié, vin, céréales, sel, poisson séché, toiles. En outre, un atelier local de cartographie a fait connaître le nom du Conquet dans l'ensemble du monde maritime et savant.

Avec sa jolie tour en encorbellement qui surplombe l'estuaire, la maison des Seigneurs, du XVIe siècle, témoigne de cette période faste.

Aujourd'hui, les fileyeurs et caseyeurs qui animent le port de pêche se consacrent aux espèces nobles : lottes, turbots, congres, langoustes, tourteaux et araignées. Sur la rive opposée du port, la presqu'île de Kermorvan, que termine un phare de 1849, protège au sud la longue plage des Blancs Sablons, appréciée par un public familial.

La presqu'île de Kermorvan et son phare.

La plage des Blancs Sablons.

LA POINTE SAINT-MATHIEU

Le panorama offert par la proue de la pointe Saint-Mathieu justifie à lui seul qu'on s'y attarde. Ici, depuis le XIIe siècle, des moines ont prié et travaillé. Il subsiste d'imposantes ruines de l'abbaye bénédictine, fondée, selon la tradition, par saint Tanguy, pourtant coupable du meurtre de sa propre sœur, sainte Haude. Les colonnes et arcades du début du gothique voisinent un peu curieusement avec un phare de 1835, dont le feu domine la mer de 54 mètres.

Le Fort de Bertheaume

Un tel site, un îlot à l'entrée de la rade de Brest, était voué à être fortifié. Si depuis le Moyen Âge des murailles s'y élèvent, le fort actuel ne date que de Vauban qui, sous Louis XIV, y installe l'artillerie. Désaffecté à partir de 1870, le fort reçoit une batterie allemande durant la dernière guerre. À l'abri du rocher, les plages de Trez-Hir et de Trégana n'ont pas à redouter les vents de noroît.

La farouche grandeur
de la pointe de Pern à Ouessant.

L'ÎLE D'OUESSANT

Un peu plus de mille habitants se partagent les mille cinq cent soixante hectares de l'île d'Ouessant, sentinelle avancée des côtes françaises entre Manche et Atlantique.

Royaume des tempêtes, des rochers déchiquetés et des falaises grandioses, l'île est belle à couper le souffle. La côte nord surtout, de la pointe de Pern à la pointe de Cadoran, essuie les incessants coups de boutoir d'une mer qui ne connaît guère le repos.

Phares du Stiff (l'un des plus vieux de France) et de Créac'h sur l'île, de Nividic, de Kéréon et de la Jument en pleine mer : aucun n'est de trop pour baliser des rivages marins parmi les plus dangereux du monde.

Alors que les Ouessantines cultivaient la terre, s'occupaient des moutons, les hommes embarquaient au long cours et multipliaient les longues absences. Île de femmes comme nombre de sociétés insulaires. Île où les deuils étaient fréquents, au point d'engendrer une coiffe noire, qui s'est imposée face à celle des jours heureux.

Comme le corps des péris en mer faisait défaut, une petite croix de cire le symbolisait le jour des obsèques. La cérémonie, arrêtée en 1962, et la croix, étaient connues sous le nom de *proella*.

Depuis 1968, Ouessant fait partie du parc naturel d'Armorique, qui tente de lui assurer une survie économique tout en sauvegardant ses beautés naturelles — l'Unesco a classé l'île réserve mondiale de biosphère. Ouessant se mérite, mais sa rude authenticité ne laisse personne indifférent.

L'écomusée

À Niou-Huella, deux maisons typiques de l'architecture rurale de l'île sont depuis 1968 converties en un écomusée des traditions ouessantines. À une extrémité du couloir on trouve la pièce à vivre, le penn ludu (extrémité des cendres), à l'autre, le penn brao (belle extrémité), utilisée dans les grandes occasions. Construits en bois d'épave (aucun arbre sur l'île), les meubles sont peints de couleurs éclatantes.

L'ÎLE MOLÈNE

Au cœur de son archipel, qui comprend plusieurs îles vouées à la protection de la nature, Molène regroupe sur ses quatre-vingt-dix hectares quelque deux cent cinquante habitants. L'origine de son nom — *Moal Enez* en breton signifie l'île chauve — se passe de commentaires. Sa flottille de caseyeurs s'adonne à la pêche aux crustacés, homards et langoustes. Et le tourisme est un complément pour cette vaillante population qui s'accroche à une île habitée depuis la préhistoire et restée fidèle à l'heure solaire. Les goémoniers de la côte léonarde viennent toujours y récolter les laminaires.

Les naufragés

16 juin 1896 : date tragique. Cette nuit-là, dans le brouillard, le paquebot anglais Drummond Castle, de retour d'une croisière au Cap, heurte un récif à l'ouest de Molène et coule en quatre minutes. Trois rescapés, deux cent quarante-trois victimes. Les habitants d'Ouessant et Molène veillèrent les corps avant de les enterrer. En reconnaissance, les Anglais financèrent la construction du clocher de l'église d'Ouessant.

BREST

Durement touchée au cours de la dernière guerre, Brest s'est relevée avec courage et a retrouvé sa fonction civile et militaire. Première ville du Finistère (cent soixante mille habitants), siège de la Préfecture maritime et de l'Université de Bretagne Occidentale, créée en 1960, la cité est l'un des pôles les plus dynamiques de la France de l'Ouest.

Tonnerre de Brest

«Le Tonnerre de Brest» est un coup de canon qui annonçait aux Brestois l'évasion d'un forçat du bagne. Une forte récompense était attribuée à celui qui permettait de capturer l'évadé. Le bagne de Brest, établi dans un bâtiment de l'arsenal, était réputé pour sa sévérité.

Le grand pont levant, la tour Tanguy et l'arsenal.

La situation de la petite ville au fond d'une rade profonde, aux avant-postes de l'océan atlantique, incite Richelieu puis Colbert à implanter un grand arsenal de marine dans le havre de la Penfeld.

Au XVIIIe siècle, le port voit appareiller vers les destinations les plus lointaines des escadres et des navires de guerre et d'exploration. La Royale et ses officiers flamboient de mille feux. Le grand port du Ponant connaît son apogée.

La rue de Siam et les sculptures-fontaines de Marta Pan.

Le futur de Brest se joue notamment dans l'avant-port sur la rade, où a été lancé le Charles-de-Gaulle, premier porte-avions nucléaire français. Tout un symbole de haute technologie pour une ville plus que jamais ouverte sur l'avenir.

Déjà, au XIIe siècle, une forteresse s'élève sur l'éperon rocheux qui commande l'embouchure de la Penfeld.

À plusieurs reprises, au gré de la construction d'un donjon, de bastions et de courtines, le château est agrandi, modernisé, rendu de plus en plus inexpugnable. Au XVe siècle, deux puissantes tours d'entrée viennent encadrer le portail et le pont-levis. Après avoir longtemps servi de siège à la justice seigneuriale, la tour Tanguy, construite au XIVe siècle sur la rive opposée au château, abrite depuis 1964 un musée historique. Du fait des cruelles destructions de la période 1940-1944, le charme des rues et places anciennes — Ah !, sur la rive gauche de la Penfeld, le *Recouvrance* de Mac Orlan et des marins en bordée — s'en est allé. Ayant fait le pari d'une reconstruction rationnelle, au prix parfois d'une certaine froideur de l'habitat, Brest ne compte plus les prouesses et les réussites en matière d'urbanisme contemporain.

Citons parmi d'autres : le pont-levant en béton armé de Recouvrance, inauguré en 1954 ; la sévère beauté de l'église Saint-Louis, où la pierre ocre de Logonna masque en partie le béton ; la rue de Siam et ses fontaines au profil futuriste ; la place de la Liberté, dominée depuis 1961 par la masse imposante de l'Hôtel de Ville, entièrement redessinée.

La place de la Liberté, le Monument aux Morts (1958) et la rue de Siam. À droite, l'église Saint-Louis (1957).

Le tramway. Sa livrée vert anis et son élégance racée ont été adoptées par les Brestois. Sur 14,3 km et en 27 stations, le nouveau tramway traverse en 38 minutes la ville d'est en ouest de Plouzané à Gouesnou et Guipavas.

Océanopolis

Avec son architecture en forme de crabe, Océanopolis marque le port de plaisance du Moulin-Blanc. À travers ses aquariums, ses expositions, ses bassins, sa médiathèque, le centre de recherche et de vulgarisation dévoile les richesses et les mystères du fascinant «monde du silence».

LA RADE DE BREST

Le magnifique plan d'eau que constitue la rade de Brest ne s'ouvre au large que par un étroit goulet, tapissé d'épaves de navires de toutes les époques.

Il accueille à intervalles réguliers des rassemblements de vieux gréements qui éblouissent les yeux et ravissent l'âme.

Face à la pointe et au phare du Petit Minou, un trois-mâts toutes voiles déployées.

«La Recouvrance». En 1991, débuta la construction de cette goélette aux chantiers du Guip. La mise à l'eau a eu lieu lors de Brest 1992.

Toutes voiles dehors, les goélettes, les trois-mâts barques et les dundees cultivent la nostalgie d'un temps où la marine, militaire ou marchande, se parait de beautés chatoyantes.

Mais la rade est aussi le lieu d'activités maritimes diversifiées, ostréiculture, vénériculture (mollusques), aquaculture et surtout pêche à la coquille Saint-Jacques.

Tout à côté, l'Île Longue, désormais reliée à la terre ferme, abrite en ses flancs, hypermilitarisés, les sous-marins nucléaires français.

Entre Plougastel-Daoulas et Le Relecq-Kerhuon, le Pont de l'Iroise inauguré le 12 juillet 1994.

La pêche à la Coquille

Pêchée sur des bancs localisés en baie de Saint-Brieuc et en rade de Brest, la coquille Saint-Jacques se distingue des pétoncles blancs ou noirs par sa plus grande taille (minimum : 102 mm). Elle peut être consommée poêlée avec du beurre salé, ou flambée au lambig.

Le calvaire de Plougastel-Daoulas et ses personnages hiératiques.

PLOUGASTEL-DAOULAS

Célèbre pour sa culture des fraises, et désormais des tomates, la presqu'île de Plougastel-Daoulas abrite au cœur de son bocage de nombreuses et ravissantes chapelles. Mais c'est son calvaire monumental, construit après l'épidémie de peste de 1598, qui en fait la renommée. Ses cent quatre-vingt-un personnages de granit et de kersanton ont été soigneusement restaurés après les mutilations de la dernière guerre.

Les fraises de Plougastel

Le petit fruit rouge importé d'Amérique du Sud dans la seconde moitié du XVIIe siècle par le botaniste Frézier va rendre célèbre le nom de Plougastel. Exportée vers l'Angleterre à partir du milieu du XIXe siècle, la fraise fera la richesse de la presqu'île, ainsi que les tomates et les fleurs quelques années plus tard.

LANDERNEAU

A la charnière de la Cornouaille et du Léon, Landerneau possède l'un des rares ponts habités d'Europe, le pont de Rohan, du nom de ses anciens seigneurs. Les églises Saint-Houardon et Saint-Thomas, les hôtels en chaude pierre de Logonna, participent au charme de la cité.

La Légende de la lune de Landerneau

Blasé devant les splendeurs de la cour du roi Soleil, un gentilhomme breton s'écria : «La lune de Landerneau est plus grande que celle de Versailles». Il entendait par là la lune en cuivre qui servait de girouette au clocher de Saint-Houardon. Du coup, la lune de Landerneau entra dans la légende.

LE PAYS DES ABERS

De l'Aber Wrac'h, au nord, à l'Aber Ildut, au sud, en passant par l'Aber Benoît, le pays des Abers forme un ensemble géographique modelé par les embouchures dilatées de courtes rivières.

Autrefois centre d'un cabotage actif, c'est aujourd'hui la capitale bretonne de l'activité goémonière.

La plage à l'embouchure de l'Aber-Benoît.

Le Scoubidou du goémonier

Le Scoubidou, composé d'une grue et d'un crochet, permet d'arracher les algues jusqu'à 5 mètres de profondeur. À la remontée, le seul marin à bord fait tourner l'ensemble en sens inverse pour libérer les longues laminaires (Laminaria digitata) et les déposer dans le fond du bateau. Ces algues, ramenées et séchées sur la côte, sont expédiées aux usines qui en extraient les alginates employés dans les industries alimentaires et pharmaceutiques.

Le port de l'Aber Wrac'h.

À trois kilomètres au large, le phare du Four (construit en 1873 sur une roche) délimite la séparation entre la Manche et l'Atlantique.

L'Amoco Cadiz

Le pétrolier géant Amoco Cadiz, après avoir mouillé en dernier recours, chassa sous l'action du vent et du courant sur cette ancre de 20,5 tonnes (dont les pattes se brisèrent) et vint s'échouer le 20 mars 1978 sur Men Goulven, à 1100 mètres environ à l'Est-Nord-Est du phare de Corn Carhai, provoquant la plus grande marée noire du siècle.

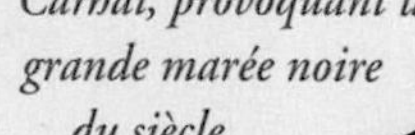
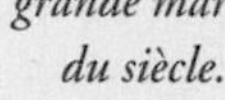

Soleil couchant sur la pointe et le phare de Pontusval.

Sur la côte de Plouguerneau, deux phares se dressent sur l'île Vierge : l'ancien (et petit) de 1845, le plus récent de 1897.

Les 82,50 mètres de ce dernier en font le plus haut d'Europe et le phare de pierre le plus élevé du monde. 397 marches mènent à la lanterne.

Selon la tradition, il ne faisait pas bon pour un marin, jadis, faire naufrage entre Plouguerneau et Plounéour-Trez, sur cette côte des «païens» à l'affreuse réputation.

Les riverains de ces rivages désolés passaient en effet pour être de redoutables pilleurs d'épaves, si ce n'est naufrageurs. Aller au «bris» était leur sport préféré. Les nombreux phares et balises qui ponctuent la côte attestent que cette époque est révolue depuis longtemps.

Au pied d'énormes amoncellements de rochers, le pittoresque village de Menez Ham sur le littoral de Kerlouan rappelle plutôt le temps des paysans-goémoniers.

Notre-Dame du Folgoët

La basilique du Folgoët doit son origine à une très belle histoire : au milieu du XIVe siècle vivait ici un pauvre innocent du nom de Salaün. Il ne savait que dire «Ave Maria», deux mots qu'il prononçait toute la journée en mendiant ou en se balançant aux branches des arbres. Quand il mourut, on l'enterra dans son bois. Quelque temps après, un bruit prodigieux se répandit dans la région : un lys avait miraculeusement poussé sur la tombe délaissée et l'on pouvait y lire ces mots : ave maria gravés en lettres d'or. La foule accourut ; ainsi commença un pèlerinage qui se poursuit encore de nos jours.

Le jubé du XVe siècle, admirable dentelle en pierre de Kersanton.

PLOUESCAT

Construites par un baron de Kerouzéré au XVe siècle, les halles de Plouescat ont conservé une magnifique charpente en chêne. Le seigneur percevait des droits sur les marchandises et bestiaux vendus lors des foires et marchés.

Extrêmement découpée, parsemée de rochers et de récifs, la côte réserve une surprise. Dans la baie de Kernic, une allée couverte, édifiée dans une prairie à l'origine et désormais ensablée, témoigne de la remontée du niveau marin depuis le Néolithique.

CLÉDER

Sur la côte de Cléder, aux Amiets et vers Kerfissien, deux postes de guet résistent encore. Afin de mieux surveiller et défendre le littoral contre la menace anglaise, Louis XIV et son ingénieur Vauban décidèrent la construction de ces édicules reconnaissables à leurs toitures de pierres plates. Les uns hébergeaient des mâts à signaux, les autres des batteries de canons.

Par la suite ces guérites furent utilisées par les douaniers, d'où le nom qui leur est resté de «maisons des douaniers».

La flèche du Kreisker domine les toits de Saint-Pol-de-Léon.

Édifice remarquable dans son ordonnance, la cathédrale, dédiée à Pol Aurélien.

Cette cloche en bronze du VIe siècle aurait été offerte à saint Paul par le comte Withur.

SAINT-POL-DE-LÉON

Saint-Pol-de-Léon, centre névralgique de la ceinture dorée, était, jusqu'à la Révolution, le siège d'un évêché, placé sous le vocable de saint Paul Aurélien. La cité en a gardé un charme un peu mystique et une élégante cathédrale gothique. À l'intérieur, on tombe en arrêt devant l'harmonie de la grande rose du transept de la fin du XVe siècle et la macabre tradition des boîtes à crânes au nom du défunt.

La ville s'enorgueillit d'un deuxième édifice religieux, tout aussi spectaculaire, la chapelle Notre-Dame du Kreisker, siège de la communauté de ville avant la Révolution. La finesse et la hauteur démesurée du clocher stupéfient, soixante-dix-neuf mètres, un chef-d'œuvre d'esthétique gothique autant qu'une prouesse technique.

Les artichauts

C'est en raison de sa douceur climatique et de la fertilité de son sol que la zone littorale de la région de Saint-Pol-de-Léon a été appelée la «ceinture dorée». Artichauts, choux-fleurs et échalotes y ont élu domicile, assurant les trois-quarts de la production française. Afin de mieux les commercialiser, les agriculteurs se sont dotés d'un marché au cadran et ont créé le port en eau profonde de Roscoff.

Sainte Apolline

Apolline fut martyrisée à Alexandrie en 249. D'après la légende, ayant refusé d'adorer les idoles, un bourreau lui arracha toutes les dents à l'aide d'une tenaille. Menacée du bûcher, elle préféra se jeter elle-même dans les flammes. elle est devenue la patronne des «arracheurs de dents».

ROSCOFF

Quel passé tumultueux que celui de Roscoff ! Le «trou de flibustiers, vieux nid à corsaires» se partageait entre la lutte contre les Anglais et le commerce avec la façade atlantique, avant de devenir un port de contrebande de vin, d'eau de vie, de thé, introduits en fraude en Angleterre. Les marchands s'enrichissent, le font savoir en édifiant, à leurs frais, en 1515, la superbe église Notre-Dame-de-Croaz-Batz, qui domine un quartier ancien de solides demeures en granit.

Une maison forte à jolie échauguette.

La chapelle Sainte-Barbe.

Un site exceptionnel sur la baie de Morlaix, un climat propice, la passion d'amoureux des fleurs : le jardin exotique de Roscoff voit le jour. Au milieu de rocailles, les plantes de l'hémisphère sud sont à l'honneur. Ravissement des yeux et dépaysement garantis.

Le port bien abrité derrière ses digues.

Coup de vent sur la digue.

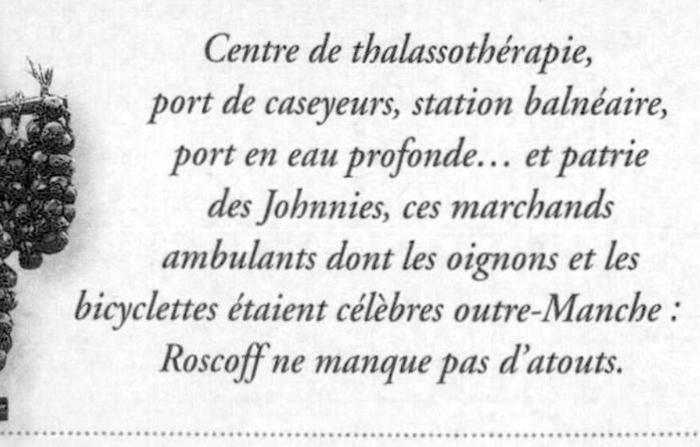

Centre de thalassothérapie, port de caseyeurs, station balnéaire, port en eau profonde… et patrie des Johnnies, ces marchands ambulants dont les oignons et les bicyclettes étaient célèbres outre-Manche : Roscoff ne manque pas d'atouts.

L'ÎLE DE BATZ

A quelques encablures de Roscoff, l'île de Batz, jadis reliée à la terre ferme, est dominée par un robuste phare de 43 mètres de haut. Les Batziens vivent de la pêche au maquereau et de la culture des primeurs, fertilisée par les algues.

Les ruines du monastère fondé par Paul Aurélien, la chapelle romane Sainte-Anne, réapparue après avoir été submergée par les sables, plongent l'île dans un passé baigné de mystère.

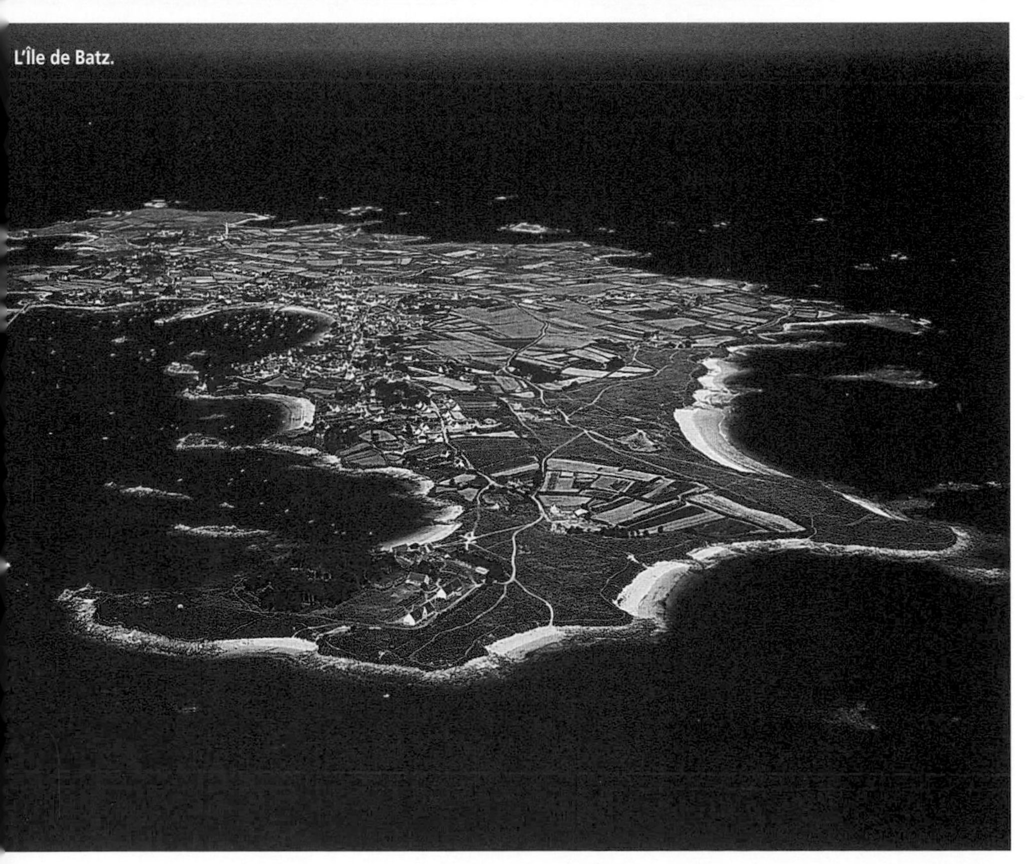

L'Île de Batz.

Le jardin Georges Delaselle

Après des années d'abandon, le «jardin colonial» créé au début du XXe siècle à la pointe sud-est de l'île par un passionné, Georges Delaselle, a retrouvé tout son éclat. Plus de mille cinq cents espèces, originaires de tous les continents, se déploient dans un feu d'artifice végétal.

MORLAIX

A cheval sur Léon et Trégor, Morlaix est joliment situé au fond de l'estuaire qui lui apporte les effluves du large. Le commerce maritime puis la guerre de course en font, sous l'Ancien Régime, l'un des ports les plus actifs de Bretagne.

Plusieurs églises, des hôtels aristocratiques, les maisons à pans de bois dites «à lanterne», rappellent la période des «Messieurs de Morlaix», palpable aussi au détour des riches collections du Musée des Jacobins. Sur les quais, la noble façade XVIIIe siècle de la Manufacture des Tabacs évoque un autre versant de l'histoire de la ville.

La Maison de la Duchesse Anne

L'une des plus belles maisons à lanterne ou à pondalez (référence aux passerelles en bois sculpté) est ouverte au public rue du Mur. Datant de la fin du XVe siècle, elle abritait une famille noble qui se livrait au commerce maritime. À l'intérieur, un escalier à vis s'orne d'écussons et de motifs religieux.

Une fête maritime dans le bassin à flot.

L'ÎLE CALLOT

Accessible à pied, à marée basse, à partir du port de Carantec, l'île Callot commande un superbe panorama sur la baie de Morlaix, son chapelet d'îlots et de récifs, et les côtes du Léon et du Trégor. Finement découpée, tout en criques sableuses et en pointes rocheuses, elle est dominée par le clocher du XVIe siècle de la chapelle Notre-Dame. Ce lieu de pèlerinage fut en partie construit en granit rose, extrait sur l'île.

S'ils te mordent, mords-les !

La devise de la ville «S'ils te mordent, mords-les !» est un jeu de mots qui date du XVIe siècle. Les corsaires morlaisiens avaient pillé Bristol ; en représailles, les Anglais mirent la ville à sac en 1522. Pour éviter une nouvelle attaque, les bourgeois de Morlaix firent construire le château du Taureau à l'entrée de la Baie.

LA BAIE DE MORLAIX

Sur la rive trégoroise de la baie de Morlaix, le cairn de Barnenez, vieux de sept mille ans, est un grandiose monument funéraire de l'époque néolithique, organisé en gradins et composé de onze dolmens. De la pointe de Penn al Lann à Carantec, la vue se déploie sur le phare de l'île Louët et le château du Taureau, massive forteresse construite au XVIe siècle pour défendre Morlaix contre les Anglais, restaurée par Vauban, reconvertie plus tard en prison d'État.

La masse compacte du château du Taureau.

Le phare de l'île Louët date de 1860.

Le cairn de Barnenez.

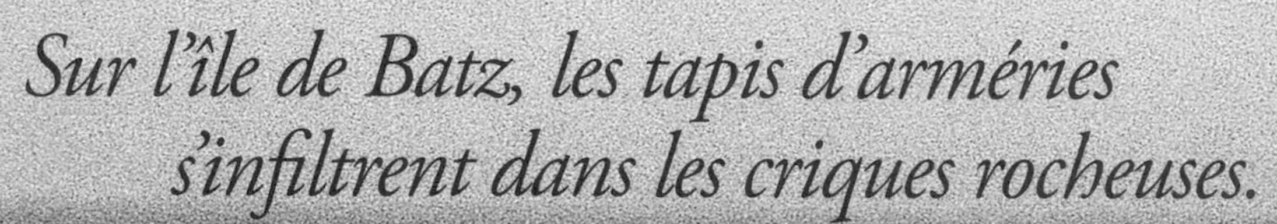
Sur l'île de Batz, les tapis d'arméries s'infiltrent dans les criques rocheuses.

LES ENCLOS PAROISSIAUX

Le puissant clocher Renaissance de Saint-Thégonnec annonce l'enclos paroissial le plus abouti de Bretagne. Dans un espace restreint la communauté des vivants et des défunts se retrouve dans l'attente de la bienheureuse Résurrection. Rien n'était trop beau pour glorifier la paroisse, et ses responsables, les «fabriciens», autant que Dieu, la Vierge et les Saints. Il en résulte, étalée du XVIe au XVIIIe siècle, la construction d'un ensemble monumental pour le moins étonnant dans une bourgade somme toute modeste.

SAINT-THÉGONNEC

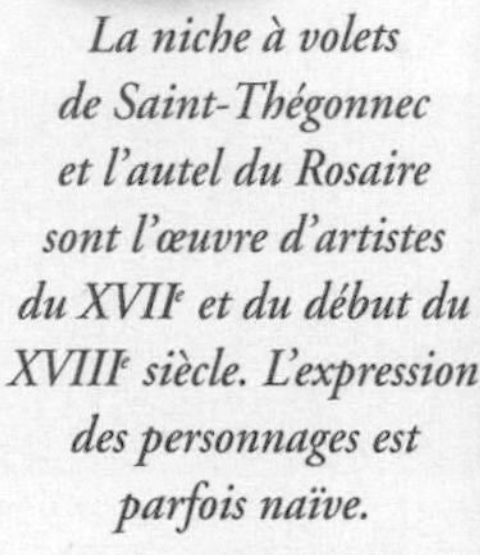

La niche à volets de Saint-Thégonnec et l'autel du Rosaire sont l'œuvre d'artistes du XVIIe et du début du XVIIIe siècle. L'expression des personnages est parfois naïve.

Au-dessus de l'entrée du porche, une niche à volets met en scène la Vierge de l'Apocalypse encadrée de l'arbre de Jessé.

Les enclos paroissiaux de la vallée de l'Elorn furent l'œuvre des Julots, marchands enrichis par le commerce de la toile de chanvre et de lin.

Dernier en date des grands calvaires bretons (1610), il en est l'un des plus élégants. La pierre de Kersanton a permis à l'artiste de soigner les attitudes, comme celles, expressives, de la cohorte grimaçante des bourreaux du Christ.

Dans la crypte de l'ossuaire, le Saint Sépulcre en chêne polychrome daté de 1702 est signé Jacques Lespaignol, maître sculpteur de Morlaix. Construit en 1670, l'orgue est dû à un élève du célèbre facteur Thomas Dallam. Il fut transformé par Heyer au XIXe siècle et restauré en 1978.

Guimiliau

Voisin et donc rival de Saint-Thégonnec, l'enclos de Guimiliau ne le cède en rien en magnificence. Nombreux sont les visiteurs à le trouver plus chaleureux parce que moins solennel. À l'intérieur, le baptistère de 1675 étale une luxuriance qui laisse pantois et admiratif. Construit vers 1690 par l'Anglais Thomas Dallam, l'orgue est aussi célèbre pour sa tribune sculptée que pour ses jeux, parfaitement restaurés.

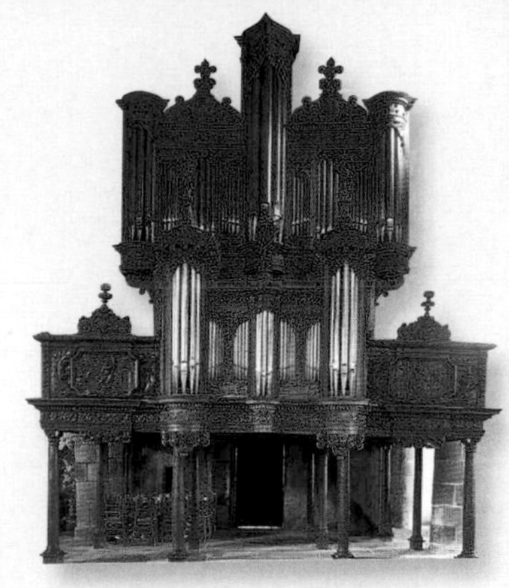

Son calvaire de la fin du XVIe siècle déroule le récit évangélique dans une débauche de personnages pleins de verve ou au contraire de retenue. Le porche sud (1617) intègre dans une décoration Renaissance des scènes aux allures médiévales.

Lampaul-Guimiliau

L'ancienne trève (succursale) de Guimiliau entendait bien rivaliser avec la paroisse-mère ! Mission accomplie. Au pied de son clocher élancé se pressent un arc triomphal surmonté d'une crucifixion, un ossuaire à colonnes doriques, un calvaire du XVIe siècle. À l'intérieur, les regards sont attirés par la poutre de gloire finement sculptée de scènes de la Passion et de sibylles ainsi que par la somptuosité des retables baroques du chœur. Une Mise au Tombeau en tuffeau (1676) ajoute une note grave à l'ensemble.

LES ENCLOS, UN ART BRETON...

Entre le XVIe et le XVIIIe siècles, les paroisses toilières de la vallée de l'Elorn se sont engagées dans une sainte émulation. Embellir à tout prix l'église et son enclos devint l'enjeu prioritaire des membres du conseil de fabrique. L'art religieux breton s'y exprime avec somptuosité et fantaisie, majesté et naïveté. Un art savant et populaire qui se manifeste dans l'église mais aussi ses dépendances (porte triomphale, calvaire, ossuaire, sacristie, porche), son mobilier et sa statuaire.

LE CHÂTEAU DE KERJEAN

Le puits Renaissance.

Le roi Louis XIII estimait Kerjean digne de lui si jamais ses affaires le menaient en Basse-Bretagne. Il faut dire que la Renaissance bretonne atteint son apogée dans cette demeure financée au XVIe siècle par l'oncle chanoine et richissime des Barbier, les seigneurs bâtisseurs. Le portail à fronton, la chapelle aux merveilleuses sablières, le puits à dôme et lanternon, la fontaine du parc, tout est soigné, inspiré des manuels de Philibert Delorme et Androuet du Cerceau.

BODILIS

Sur le plateau léonard, l'enclos de Bodilis se signale d'emblée par l'élan de son clocher gothique de 1570. Quinze ans plus tard, le conseil de paroisse mettait en chantier un merveilleux porche Renaissance dont l'extérieur avec ses colonnes cannelées est aussi raffiné que l'intérieur et sa tribu d'apôtres.

LA MARTYRE

À La Martyre, et c'est sa grande originalité, l'enclos fait corps avec le village. Jadis ses grandes foires attiraient une foule considérable de marchands et clients, venus négocier toiles, bestiaux et chevaux. Au passage, les fabriciens percevaient une taxe pour l'embellissement de l'église. Juché sur la plate-forme de l'arc de triomphe, le calvaire, en un saisissant raccourci, projette son ombre dans le porche du baptême. La mort se met en scène aussi bien sur l'ossuaire, orné d'une cariatide à demi-nue, que dans le bénitier du porche, où trône l'Ankou armé d'un dard. Heureusement qu'une douce Vierge couchée vient, au tympan du porche, tempérer l'enseignement de l'Église largement fondé sur la peur de l'Enfer.

Landerneau

Landerneau faillit, sous la Révolution, devenir le chef-lieu du Finistère. Excellent témoin de son passé marchand, le pittoresque pont de Rohan, de 1510, l'un des deux seuls ponts habités de France, relie la rive cornouaillaise à la rive léonarde. Sur cette dernière, l'église Saint-Houardon date de 1858 mais elle a récupéré le clocher (rehaussé) et le porche Renaissance (1604) en sombre pierre de Kersanton d'un ancien édifice.

Commana

Sur les austères contreforts des Monts d'Arrée, l'église de Commana dresse un clocher dépouillé. Très proche de celui de Bodilis, le porche ouvre sur un intérieur somptueux. Le retable de Sainte-Anne, débordant de personnages sculptés, et le baptistère à baldaquin, tous deux de 1682, portent le baroque breton à la perfection.

Sizun

Visible de loin, un fin clocher du XVIIIe siècle, se projetant hardiment dans le ciel des Monts d'Arrée, signale l'église Saint-Suliau de Sizun. On pénètre dans l'enclos par un monumental arc de triomphe (1590), inspiré des modèles romains, souvent désigné sous le nom de *Porz ar Maro*, la porte des morts.

«Memento mori», souviens-toi qu'il faut mourir, prévient l'ossuaire de la même période, qui ici abrite les apôtres ordinairement logés dans le porche sud. À l'intérieur, les orgues du facteur anglais Thomas Dallam, de la fin du XVIIe siècle, ont retrouvé l'éclat de leur polychromie. Les retables du chœur ont quelque chose de théâtral avec leurs tourelles et leurs colonnes corinthiennes. Le décor des églises bretonnes ne craignait ni la surcharge décorative ni la vivacité des couleurs.

LES MONTS D'ARRÉE

Sur sa cornière, l'Ankou ricane.

Au cœur du Finistère existe un pays de mystères, voire de maléfices : les Monts d'Arrée. Ils ne culminent qu'à 384 mètres au Tuchenn Gador et au Roc Trévézel, mais leur isolement, leur désolation, l'âpreté du relief, la faible densité de leur population, leur ont fait une réputation un peu sinistre. Ici, selon la tradition, s'ouvrait l'une des portes de l'Enfer ; ici les lavandières de la nuit se livraient à leurs sabbats ; ici l'Ankou, la mort à la faux aiguisée, frappait sans retenue. On comprend pourquoi l'Église a voulu placer ces collines pelées, tentées par des pratiques peu orthodoxes, sous la protection de saint Michel. Et de saint Herbot, dont la chapelle est un superbe édifice gothique dédié au protecteur du bétail.

Son chancel, son gisant du saint, ses vitraux, son calvaire, proclament avec force la présence de Dieu et des hommes en ces solitudes. La forêt de Huelgoat, ses grottes,

La chapelle Saint-Michel de Brasparts.

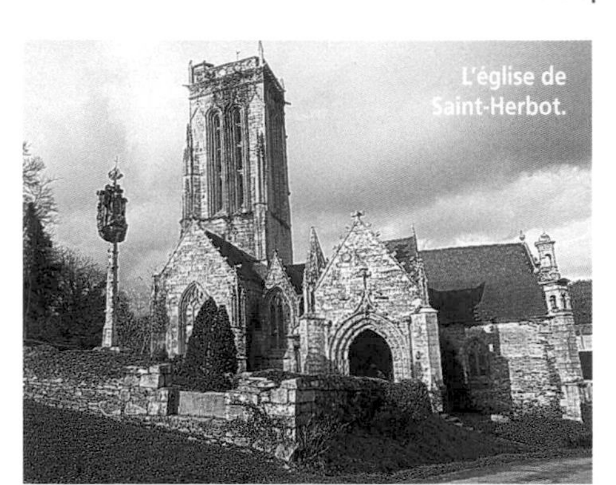

L'église de Saint-Herbot.

LE YEUN ELEZ, *l'entrée de l'enfer…*

Dans les marais du mont Saint-Michel de Brasparts, bien avant que ne soit construit le barrage de Nestavel, existait une immense tourbière : le Yeun Elez. C'était l'entrée de l'enfer. Au coucher du soleil, le recteur de Brasparts venait y jeter des chiens noirs dans lesquels il avait enfermé les démons chassés du corps des possédés. Ils disparaissaient aussitôt, engloutis dans les marais, tandis que s'élevaient des flammes étranges. La terre se mettait à trembler et le ciel se couvrait d'énormes nuages sombres.

L'écomusée des Monts d'Arrée, la «Maison Cornec».

Ci-contre, la forêt de Huelgoat est le lieu des sortilèges.

Le village de Kerouat.

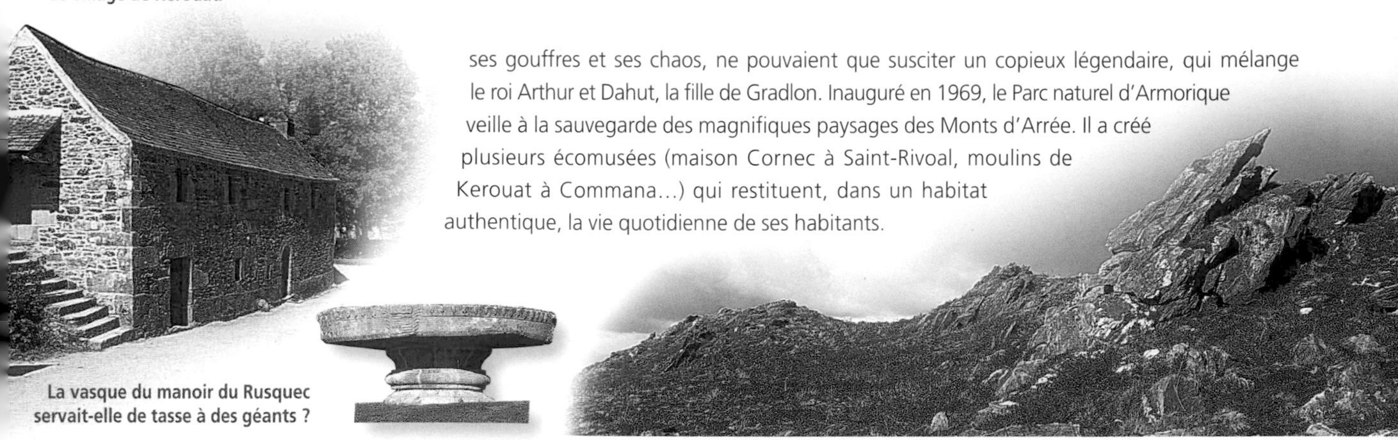

ses gouffres et ses chaos, ne pouvaient que susciter un copieux légendaire, qui mélange le roi Arthur et Dahut, la fille de Gradlon. Inauguré en 1969, le Parc naturel d'Armorique veille à la sauvegarde des magnifiques paysages des Monts d'Arrée. Il a créé plusieurs écomusées (maison Cornec à Saint-Rivoal, moulins de Kerouat à Commana...) qui restituent, dans un habitat authentique, la vie quotidienne de ses habitants.

La vasque du manoir du Rusquec servait-elle de tasse à des géants ?

Ci-dessus : le Roc Trévézel et ses rochers aux formes tourmentées.

LA VALLÉE DE L'AULNE

Entre Pont-Triffen en Spézet et Port-Launay, l'Aulne canalisé se fraie un chemin avec force méandres entre les Monts d'Arrée, au nord, et les Montagnes Noires, au sud. Interdit aux véhicules et ponctué d'écluses, un tranquille chemin de halage traverse des paysages plus accidentés qu'on le croit.

Carhaix, la capitale du Poher commença, sous le nom de *Vorgium*, par être le chef-lieu administratif des Osismes sous l'Empire romain. Des fouilles archéologiques remettent régulièrement au jour ce glorieux passé. La maison du Sénéchal, premier magistrat de la ville sous l'Ancien Régime, s'orne d'une porte Renaissance à double colonnade. À Carhaix est né Théophile Corret de La Tour d'Auvergne (1743-1800), «premier grenadier de France» et celtisant distingué.

Les écluses de Châteaulin annoncent la fin prochaine de la partie canalisée de l'Aulne.

L'enclos paroissial de Pleyben se place sous le signe du faste. Majesté du clocher Renaissance, haut de 48 mètres, grandeur du calvaire, surélevé sur quatre piles, dimensions exceptionnelles de la sacristie au subtil jeu de coupoles. À l'intérieur, les sablières sculptées font preuve d'une verve et d'un esprit inventif époustouflants.

L'enclos paroissial de Pleyben est sans conteste, l'un des plus beaux et l'un des plus complets de Bretagne (église, calvaire, ossuaire, arc de triomphe).

Au cœur de Châteaulin, paradis des pêcheurs de saumons, l'Aulne canalisé.

Sur le versant nord de la forêt de Laz, le château de Trévarez a été élevé à la fin du XIXe siècle par un homme politique finistérien, M. de Kerjégu, qui aspirait à devenir président de la République. Il échoua dans sa tentative mais mena à bien le chantier de sa coûteuse folie néo-gothique et Renaissance, château de Sologne égaré dans la lande bretonne. En 1978, le conseil général a acheté édifice et jardins, qu'il a restaurés et ouverts au public.

Le nouveau pont de Térénez, enjambant l'Aulne maritime vers Rosnoën.

À Port-Launay, port de cabotage actif autrefois, le fleuve devient maritime ; en aval, le flux de la marée vivifie la campagne de Rosnoën.

Sur le chemin de halage le long de l'Aulne canalisé.

Ouvert avril 2011, le nouveau pont de Térénez déploie son architecture aérienne au-dessus du cours maritime de l'Aulne, qui a ici des allures de fjord. Le «viaduc de Millau breton» est le premier pont courbe à haubans de France, de 515 m de portée dont 285 m pour la travée centrale. Une prouesse technologique doublée d'une incontestable réussite esthétique.

Au fond de la rade de Brest, l'ancien port du Faou a conservé de sa prospérité passée une élégante église en pierres de Kersanton et de Logonna, riche de statues et de retables. Les maisons à encorbellement et en pierre de la rue principale composent un grand livre sur l'art d'habiter dans la Basse-Bretagne d'avant la Révolution.

L'église du Faou et la rade de Brest.

DE L'AULNE À CROZON

L'abbaye de Landévennec défie les siècles. On l'avait crue anéantie après la Révolution, qui avait dispersé les derniers moines. Depuis l'an 500 environ et la fondation par saint Guénolé, la présence religieuse ne s'y était pas interrompue ! Et puis, en 1950, les Bénédictins reviennent, de nouveaux bâtiments monastiques voient le jour dont l'abbatiale, sobre et harmonieuse, consacrée en 1965. Haut lieu de la spiritualité bretonne, centre d'étude et de recherche sur l'histoire de la Bretagne, espace d'accueil de retraitants, Landévennec occupe une place particulière dans le cœur des Bretons.

Comme toujours, les moines n'ont pas choisi le site au hasard. Ils se fixèrent près d'une source, à la rencontre de l'Aulne et de la rivière du Faou, au fond de la rade de Brest. Les religieux y trouvaient isolement, beauté… et eau douce. De l'abbaye romane il ne reste que des ruines (IXe-XIIe s.), mais émouvantes. Tout à côté, le musée du monachisme celtique donne du sens à la visite des lieux. À un jet d'arbalète du monastère, au creux de l'Aulne, l'anse de Penforn abrite un cimetière de navires désarmés de la Marine nationale, vision insolite dans un paysage tout en douceur. Depuis 1965, l'École navale est installée à Lanvéoc, sur les falaises sauvages du flanc nord de la presqu'île de Crozon. Juste en face, l'Île Longue abrite les sous-marins nucléaires.

Chapiteau roman.

Les landes rases du Menez-Hom.

Le Menez Hom ne culmine qu'à 330 mètres, mais cette dernière sentinelle des Montagnes Noires domine un paysage d'une prenante beauté : au nord, la vallée de l'Aulne maritime et la rade de Brest ; à l'ouest, la baie de Douarnenez et la presqu'île de Crozon. Ce royaume de la bruyère rase balayée par le vent fut le théâtre de cultes celtiques, puis romains.

Au pied de la montagne sacrée, la chapelle Sainte-Marie, mi-gothique, mi-Renaissance, renferme de somptueux retables baroques.

La falaise de Roscanvel et ses bruyères en fleur.

Débarquement des visiteurs brestois au port du Fret vers 1930.

Le fort des Capucins

Dès 1694, l'îlot de la pointe des Capucins devait être aménagé par Vauban, mais le projet ne fut réalisé qu'en 1850. La plate-forme de la batterie fut installée dans le rocher face à l'océan ; à l'arrière, un casernement était relié au continent par un pont de pierre à arche unique. Face au goulet, une batterie de rupture fut aménagée en 1888.

Le bourg de Crozon.

LA PRESQU'ÎLE DE CROZON

La plage de Morgat.

L'anse de Morgat.

Camaret, la Pointe de Pen-Hir.

Le Pen-Hat à Camaret.

Les Grottes de Morgat

De part et d'autre de la plage de Morgat, la mer a élargi des failles dans la falaise jusqu'à créer de superbes grottes, accessibles à pied, à marée basse, ou en barque. La plus belle, la grotte de l'Autel, haute de dix mètres, a des parois colorées. On imagine que, jadis, sur le rocher central, se déroulaient de bien étranges cérémonies.

Sauvage et spectaculaire est la nature en presqu'île de Crozon. Les falaises du Cap de la Chèvre, les Tas de Pois, énormes blocs isolés face à la pointe de Pen-Hir, les fantaisies rocheuses en forme de ruines du «château» de Dinan, partout, le grandiose le dispute au pittoresque.

Entre les falaises se déploient de grandes plages immaculées ou se dissimulent des criques de poche appréciées des solitaires. Tandis que les passionnés de géologie se délectent à la Maison des Minéraux, gérée par le Parc d'Armorique. Lancée de toutes pièces à partir de 1880 par Armand Peugeot, qui y bâtit plusieurs villas, la station de Morgat a conservé un air de villégiature distinguée.

À la pointe des Espagnols, la vue est saisissante sur le port et la ville de Brest, le goulet d'entrée de la rade.

Village fleuri sur le Cap de la Chèvre.

CAMARET

Si Crozon était le centre commercial de la presqu'île, le port de Camaret l'ouvrait sur l'ailleurs. Devant la chapelle Notre-Dame de Rocamadour, fameux lieu de pèlerinage depuis le Moyen Âge, et la tour Vauban, édifiée en 1689 pour défendre Brest contre les Anglais, on peut évoquer la grande période, révolue, de la pêche à la langouste.

Brume matinale sur les alignements préhistoriques de Lagadjar. Sur les hauteurs de Camaret, 84 menhirs sur trois lignes qui se coupent à angle droit semblent avoir des liens avec l'astronomie.

Image de Camaret au début du siècle.

Carcasse de langoustier au pied de Notre-Dame de Rocamadour et de la Tour Vauban.

Les façades colorées des maisons, face au port.

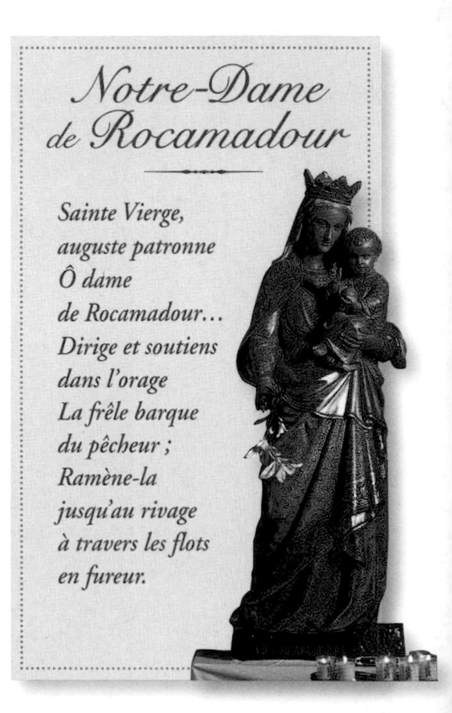

Notre-Dame de Rocamadour

Sainte Vierge,
auguste patronne
Ô dame
de Rocamadour...
Dirige et soutiens
dans l'orage
La frêle barque
du pêcheur ;
Ramène-la
jusqu'au rivage
à travers les flots
en fureur.

En raison des vertus fécondantes attribuées au tombeau de saint Ronan, un magnifique monument du XVe siècle en pierre de Kersanton, l'église fut très tôt l'objet d'une vénération particulière. Alors duchesse et reine de France, Anne de Bretagne vint prier à Locronan en 1505 dans l'espoir de donner un héritier mâle à Louis XII.

La place centrale, l'église Saint-Ronan et la chapelle du Pénity.

LOCRONAN

À mi-pente d'une colline qui surplombe la baie de Douarnenez, Locronan rassemble autour d'une place centrale unique en Bretagne une église du XVe siècle dédiée à saint Ronan, un évêque originaire d'Irlande, et un ensemble homogène de maisons de granit appareillé des XVIIe et XVIIIe siècles. Tous les six ans, la Grande Troménie attire une foule considérable de pèlerins pour une procession, bannières déployées, d'une douzaine de kilomètres autour du village. Tout au long du parcours, les fidèles rendent tribut à leurs saints familiers, dont les statues se protègent du soleil dans des huttes de branchages. Ils n'oublient pas d'aller prier à la chapelle Notre-Dame-de-Bonne-Nouvelle et sa fontaine monumentale.

La prospérité de Locronan trouvait sa source dans la culture du chanvre et du lin et la fabrication de toiles à voile, appréciées par la Royale, la Compagnie des Indes et plusieurs marines étrangères. Toute la campagne avoisinante bruissait des métiers à tisser.

La Troménie.

La hutte de Saint Mathurin, établie dans le bourg est l'un des 42 oratoires qui jalonnent le parcours. À l'aide d'une clochette, la gardienne signale la présence du Saint et vante ses mérites. Le pèlerin averti, garnira le plat de cuivre d'une pieuse aumône. Saint Mathurin est invoqué pour la guérison des dépressifs et des fous ainsi que pour le salut des âmes du Purgatoire.

La fontaine, 1688, dédiée à Saint-Eutrope et la chapelle Notre-Dame-de-Bonne-Nouvelle.

DOUARNENEZ

Au fond de sa baie, Douarnenez a toujours vécu de la pêche. Au début du siècle, des centaine de voiles traquaient la sardine, faisant vivre pêcheurs et ouvrières des conserveries. De nos jours, le relais est pris par les chalutiers hauturiers et côtiers.

Le kouign amann

Ce «gâteau de beurre» fut créé vers 1865 à Douarnenez par un certain Scordia. Confectionné avec de la pâte feuilletée et beaucoup, beaucoup de beurre, il se sert tiède. Un régal. Mais exigez le kouign amann de Douarnenez, le vrai.

Le Bolomig

Ce petit personnage, acheté sur catalogue par la municipalité, surmontait jadis la première fontaine publique de Douarnenez. En 1932, lorsque l'automobile prit la place des piétons, il fut mis en pénitence. Il fallut attendre l'apparition des rues piétonnes, en 1990, pour que le Bolomig retrouve sa place. Il participe aujourd'hui à toutes les réjouissances douarnenistes.

Le vieux port du Rosmeur et ses bistrots de marins, le Port-Rhu, l'île Tristan, désormais accessible au public, la côte de Tréboul, vouée à la thalassothérapie et aux plaisirs de la plage, les majestueuses falaises des Plomarc'h : multiples sont les facettes de la ville.

Sainte Anne : Grand-mère des Bretons

Depuis fort longtemps, la mère de la Vierge est honorée à Sainte-Anne-la-Palud. La légende prétend même que les origines du pardon remontent à la ville d'Ys. La chapelle actuelle, néo-gothique, abrite une émouvante statue de sainte Anne et Marie de 1548 en pierre polychrome.

Au fond de la baie de Douarnenez, les vastes plages de Pentrez, Lestrevet et Porz ar Vag.

Avec son Musée du Bateau et son bassin à flot, l'estuaire du Port Rhu s'impose comme un haut lieu du patrimoine maritime. Les types de bateaux, les techniques de pêche, la vie à bord, les métiers de la mer y sont à l'honneur.

TRÉBOUL

La chapelle Saint-Jean

A deux pas de la grève, la chapelle Saint-Jean, largement reconstruite en 1746, abrite des vitraux pleins de vie conçus en 1986 par l'artiste douarneniste René Quéré.

*Face à la pointe du Raz,
le phare de la Vieille
essuie les mêmes assauts de la mer.*

LE CAP-SIZUN

Puissant éperon de granit, voué à une éternelle lutte avec la mer, la pointe du Raz a été réhabilitée avec intelligence. Les verrues qui la défiguraient ont vécu ; désormais seul importe le saisissant face à face de la proue et des flots qui la fouaillent. Les phares quadrillent les parages de leurs faisceaux croisés. Au large, l'île de Sein semble bien fragile au coeur d'une nature si tourmentée.

Le phare de la Vieille.

La pointe du Van réserve des émotions d'une autre nature. L'à-pic des falaises est tout aussi impressionnant, les crevasses tout aussi profondes, mais il en émane une impression de plus grande sérénité. Est-ce parce que depuis le XVIe siècle, la chapelle Saint-They, invoquée par les marins en détresse, a posé sa modeste vigie au bord du précipice ? On embarquait jadis de la baie des Trépassés pour l'ultime voyage vers l'île d'Avallon, le paradis des Celtes.

LA POINTE DU RAZ

Notre-Dame des Naufragés.

Coiffe du Cap-Sizun

Certes plus discrète que sa voisine, la bigoudène, la coiffe kapenn fait montre d'une élégance de bon ton, agrémentée d'une petite note d'humour.

AUDIERNE

Audierne se consacre aux espèces nobles, langouste, bar de ligne, lotte, turbot, raie. À hauteur de ses quais animés et de la halle à marée de Poulgoazec sur la rive opposée, le Goyen s'élargit en un bel estuaire sinueux.

L'ÎLE DE SEIN

Quelque deux cents habitants s'accrochent toujours au minuscule radeau de l'île de Sein. Une altitude moyenne d'un mètre cinquante, de nombreux récifs tout autour, l'île a toujours été à la merci des éléments. Culminant à 48 m, d'une portée de trente milles, le nouveau phare de 1952 apporte un peu de réconfort. Le Monument des Français Libres, de Quillivic, rappelle qu'en juin 1940 cent trente-deux îliens rejoignirent le général de Gaulle en Angleterre.

Le gambadant ballet des dauphins contraste avec l'immobilité roide du phare de l'Ile de Sein.

Sur le quai du port, les maisons se serrent les unes contre les autres.

L'île de Sein face à la pointe du Raz.

LE PAYS BIGOUDEN

Une presqu'île baignée par la mer et l'Odet. Quatre ports de pêche fraîche, Le Guilvinec, capitale du quartier maritime, Loctudy, Saint-Guénolé et Lesconil. Parmi la cinquantaine d'espèces de poissons remontées dans les filets, deux sont emblématiques, la langoustine vivante et la lotte, débarquées entre dix-sept et dix-huit heures et aussitôt vendues aux enchères sous les halles à marée.

Les langoustiniers et les chalutiers amarrés au quai de Loctudy.

L'île Tudy. Au Ve siècle, saint Tudy, venu d'Irlande, avait établi un ermitage sur ce qui était alors une île déserte.

Trois coiffes défient le temps… et le vent !

Ne manquez surtout pas le retour des chalutiers ! Plus que jamais le pays bigouden vit de la mer, de la pêche et des multiples métiers dérivés. Penmarc'h armait au XVIe siècle la première flottille d'Europe. Ses marins transportaient le vin de Bordeaux et le pastel de Toulouse (une plante tinctoriale) vers les Flandres et l'Angleterre. Vers 1590, la concurrence internationale et les guerres de religion ont eu raison de cette prospérité. Mais le souvenir de la période de gloire demeure, notamment dans les carvelles sculptées des églises. Et la chapelle de la Joie, témoin de ces grandes heures, continue à saluer le retour au port des bateaux.

Chaque soir au Guilvinec, 40 bateaux rentrent au port pour le plus grand plaisir des visiteurs.

La coiffe bigoudène n'a cessé de monter depuis le début du XXe siècle. Aujourd'hui, ses 33 cm sont un véritable défi au vent et aux contraintes de la vie moderne. Les Bigoudènes sont les dernières Bretonnes à rester fidèles au costume traditionnel. Dans quelques années, la page sera tournée.

Marie, la poitrine généreuse, dénudée, se repose ; étrangement, l'enfant au pied du lit est âgé de 10 ou 12 ans et semble désigner sa mère.

La capitale du pays bigouden a conservé trois monuments qui résument son histoire : le château féodal, qui abrite l'Hôtel de Ville et le Musée bigouden ; l'église des Pères Carmes, à l'élégante architecture gothique ; l'église de Lambour, des XIIIe et XVIe siècles, dont le clocher, en 1675, fut décapité par les troupes du roi en représailles à la révolte des Bonnets Rouges.

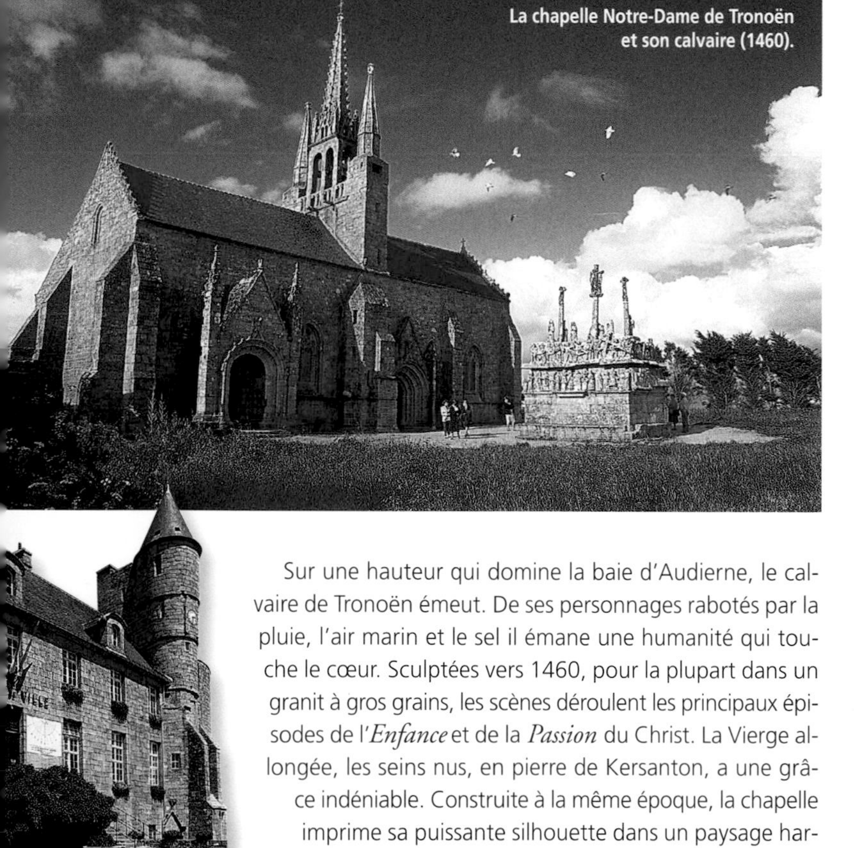

La chapelle Notre-Dame de Tronoën et son calvaire (1460).

Sur une hauteur qui domine la baie d'Audierne, le calvaire de Tronoën émeut. De ses personnages rabotés par la pluie, l'air marin et le sel il émane une humanité qui touche le cœur. Sculptées vers 1460, pour la plupart dans un granit à gros grains, les scènes déroulent les principaux épisodes de l'*Enfance* et de la *Passion* du Christ. La Vierge allongée, les seins nus, en pierre de Kersanton, a une grâce indéniable. Construite à la même époque, la chapelle imprime sa puissante silhouette dans un paysage harmonieux.

Les brodeurs

Les Bigoudens se sont toujours illustrés comme «leveurs de fil». Les hommes travaillaient les plastrons, les femmes les coiffes et le linge d'apparat. Les motifs étaient utilisés selon le rang et la richesse du client. Le soleil représente la joie ; le cœur l'amour ; la corne de bélier la force ; la dent de scie le travail...

QUIMPER

Statue équestre du roi Gradlon, située entre les deux tours de la cathédrale.

Construite aux XIIIe et XVe siècles, placée sous la protection de saint Corentin, la cathédrale gothique a récemment été réhabilitée de manière exemplaire. Pierre, peintures et vitraux ont retrouvé leur éclat d'origine.

L'échauguette en encorbellement au-dessus du Steir.

Saint Jean Discalcéat «Santig Du» 1279-1349.

Derrière le chœur, la statue de *Santig Du* fait l'objet d'une dévotion qui ne s'est jamais démentie depuis que ce moine quimpérois se dévouait pour ses semblables lors des épidémies du Moyen Âge. Encadrée par des logis en encorbellement, la rue Kéréon (*des cordonniers*, en breton) offre une vue saisissante sur le sanctuaire.

Dans les vieux quartiers, les places au Beurre et Terre-au-Duc font alterner les logis à pans de bois et les maisons de pierre, anciennes résidences des bourgeois ou des nobles.

Baignée par l'Odet, ombragée par les pentes agrestes du mont Frugy, la capitale de la Cornouaille a su tirer parti de ses atouts naturels. D'après la légende, sa fondation est due au roi Gradlon, celui-là même qui dut fuir sa ville d'Ys, engloutie par les eaux.

La rue Kéréon et la cathédrale Saint-Corentin.

PLACE TERRE AU DUC

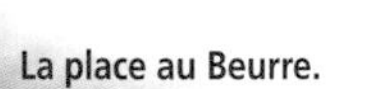
La place au Beurre.

Trois musées assoient la réputation artistique de la ville : le Musée des Beaux-Arts, où l'École de Pont-Aven est bien représentée ; le Musée Breton consacré aux traditions populaires (superbes collections de coiffes et costumes) ; le Musée de la faïence, qui rend hommage à un savoir-faire tricentenaire.

La place Terre-au-Duc

L'ODET

Sur une quinzaine de kilomètres, de Quimper à Bénodet, l'Odet serpente, prend ses aises ou au contraire se rétrécit entre ses rives pentues et boisées.

D'antiques demeures avec jardins lui confèrent une distinction de bon aloi. Ici, seules des tourelles dépassent des frondaisons ; là, comme à Kerouzien, le manoir s'expose franchement aux regards. Les évêques de Quimper avaient élu le fleuve comme cadre de leur résidence d'été de Lanniron.

Plus près de nous, Éric Tabarly avait jeté l'ancre de son Pen-Duick sur la rive de Gouesnac'h.

Du pont de Cornouaille qui, un peu avant l'embouchure, relie pays bigouden et pays fouesnantais, la vue est superbe sur Bénodet et Sainte-Marine.

L'embouchure de l'Odet.

Le château de Kerouzien sur l'Odet.

Le phare de la pointe du Coq et la plage.

BÉNODET

A l'embouchure de l'Odet, la station de Bénodet, lancée au XIXe siècle par une clientèle quimpéroise et anglaise, bénéficie de sa double exposition sur le fleuve et l'océan. Le climat y est tempéré, la végétation luxuriante, les plages abritées. Deux phares balisent l'entrée du fleuve : celui de la Pyramide et celui, plus modeste, du Coq. La corniche qui va du port à la plage offre de jolies vues sur l'animation bigarrée de l'estuaire et le port et les villas de Sainte-Marine, sur la rive bigoudène.

Bénodet est le lieu idéal pour embarquer sur les vedettes qui remontent l'Odet ou desservent les Glénan.

CONCARNEAU

Après Boulogne et Lorient, Concarneau arrive au troisième rang des ports français de pêche fraîche. Au fond de la baie, deux mondes voisinent : les murailles moyenâgeuses de la Ville Close, l'un des bastions essentiels de la défense du duché puis de la province de Bretagne, et le port ultra-moderne.

Si à Concarneau le thon (tropical et germon) est roi, il doit partager son sceptre avec de nombreuses autres espèces, la lotte, la langoustine, le cabillaud ou encore la sardine.

Avec ses chalutiers hauturiers semi-industriels et artisans, ses chalutiers côtiers, ses bolincheurs et ses canots, le port offre un parfait résumé de l'activité halieuthique.

Concarneau s'ouvre largement sur l'océan par ses plages et son boulevard en front de mer, où se visite le marinarium du Laboratoire de biologie marine.

Jadis, les pêcheurs du cru ne juraient que par la sardine. Ce temps est révolu mais on le perçoit encore dans la Ville Close, le long de ses rues bordées de maisons anciennes, au riche Musée de la pêche, dans les bistrots de marins.

Il y a mille et une manières de cuisiner le thon : grillé, au four, poêlé, en conserve...

LES GLÉNAN

A une quinzaine de kilomètres du continent, l'archipel des Glénan rassemble autour de la Chambre, une baie intérieure aux eaux cristallines, une petite dizaine d'îles bien connues des passionnés de voile. Les autres ont la ressource de découvrir, en vedette, l'île Saint-Nicolas.

La Plage du Port

BEG-MEIL

Marcel Proust fut, en 1895, parmi les premiers à goûter au charme à la fois champêtre et maritime de Beg-Meil, l'un des quartiers balnéaires de Fouesnant, qu'il évoque dans *Jean Santeuil*.

L'écrivain y appréciait les vergers plongeant directement dans la mer. Depuis lors, Beg-Meil n'a rien perdu de son attrait. Son petit port, ses plages, ses rochers, ses frondaisons, ses discrètes et amples propriétés riveraines, en font une villégiature prisée par les amoureux de l'authentique et d'un certain art de vivre.

PORT-LA-FORÊT

Dans un repli de la baie de La Forêt, encadré par un terrain de golf et la plage de Kerleven, Port-la-Forêt abrite les bateaux de plaisance par centaines. Le site, d'une extrême douceur, est protégé des vents du large par le Cap Coz.

Tout autour, la campagne du pays de Fouesnant a conservé sa touffeur bocagère, le pittoresque des chemins creux qui débouchent directement sur les plages.

PONT-AVEN

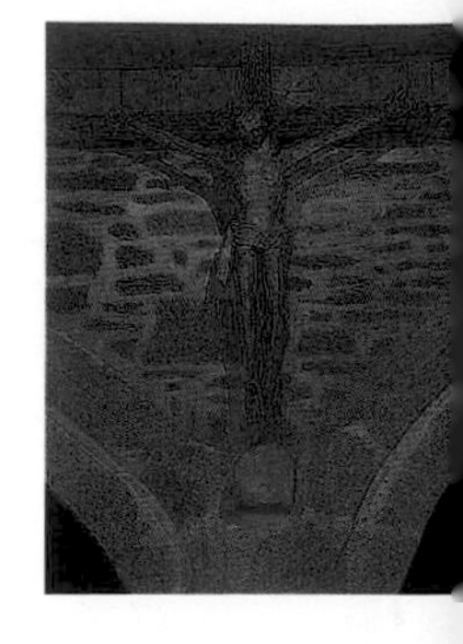

Paul Gauguin a fait la célébrité de Pont-Aven. Ses séjours à partir de 1886 dans la cité des moulins, sa rencontre avec Émile Bernard, ont donné naissance à un courant pictural, l'École de Pont-Aven, considérée comme pionnière dans l'invention de l'art moderne. Le Musée municipal, les nombreuses galeries de peinture, le *Christ jaune* de la jolie chapelle gothique de Trémalo, qui a inspiré Gauguin, le *Bois d'Amour*, rendent hommage à cette page glorieuse de l'histoire de la ville. Le port de fond d'estuaire, autrefois de cabotage, et la promenade Xavier Grall, du nom d'un poète breton, magnifique et écorché, dévoilent deux visages, contrastés, de l'Aven.

Les galettes Traou Mad

«Au beurre fin de Bretagne, cuites au four», proclamait la publicité de M. Le Villain, biscuitier des fameux «Traou Mad» à Pont-Aven. Depuis les années 1950, les galettes ont connu un essor considérable. Plusieurs biscuiteries portent loin le nom de la cité des peintres… et des gastronomes.

À la nuit tombante, les moulins ajoutent à la magie de l'Aven. Les caboteurs ne remontent plus l'Aven mais le port n'a rien perdu de son charme.

DE TRÉVIGNON AU POULDU

Le littoral du Sud-Est de la Cornouaille fait se succéder les falaises fleuries, les anses de sable fin et les estuaires, toniques et secrets. La campagne recèle des hameaux de chaumières, restaurées avec goût, comme à Kerascoët en Névez, et des chapelles peuplées de vénérables statues, comme Notre-Dame-de-la-Clarté à Trémorvézen, dans la même commune, ou le très joli sanctuaire de Saint-Philibert à Moëlan-sur-Mer.

Le petit port de Doëlan à Clohars-Carnoët.

La chapelle Notre-Dame-de-la-Clarté, en forme de croix latine est aussi nommée chapelle des Trois-Marie.

L'Aven, le Bélon, la Laïta, qui sépare le Finistère du Morbihan, sinuent entre des rives boisées et insufflent la tonicité de la marée à de paisibles terroirs. Les estuaires miniatures de Brigneau, Merrien et Doëlan se livrent à la petite pêche au casier et au filet.

Port-Manec'h, Kerfany-les-Pins, Le Pouldu ont fait, depuis le début du XXe siècle, leur preuve comme stations balnéaires à dimension humaine. Au Pouldu, les touristes avaient été précédés à partir de 1889 par Gauguin et plusieurs de ses amis, désireux de fuir la «foule» bruyante de Pont-Aven.

Pour se reposer de l'air vif du large, rien ne vaut une balade dans la forêt domaniale de Carnoët, le long de la Laïta.

La plage des Grands Sables au Pouldu.

Les huîtres de Bélon

La culture de l'huître plate dans la rivière de Bélon date de 1864. Grâce à son délicieux goût de noisette, dû au mélange d'eau de mer et d'eau douce, la «bélon» devient vite prestigieuse. Aujourd'hui, si la production de naissain (larves) et le grossissement s'opèrent ailleurs, les stades ultimes de l'élevage sont toujours l'apanage des parcs du Bélon.

Les Côtes-d'Armor

VOYAGE EN BRETAGNE

Deux anciens évêchés, Tréguier et Saint-Brieuc, de multiples «pays» (Goëlo, Poudouvre, Mené...), un littoral superbe (falaises de Fréhel et Plouha, côte de Granit Rose, estuaires du Jaudy et du Trieux), des cités anciennes aux rues pavées chargées d'histoire (Dinan, Tréguier, Moncontour), l'île de Bréhat, à la luxuriance toute méridionale : que de raisons, parmi beaucoup d'autres, pour partir à la découverte des Côtes-d'Armor ! Le terroir qui a donné naissance à saint Yves (1253-1303), le patron de la Bretagne, a fait jaillir la station de Pleumeur-Bodou, le fameux radôme, symbole de la Bretagne qui innove.

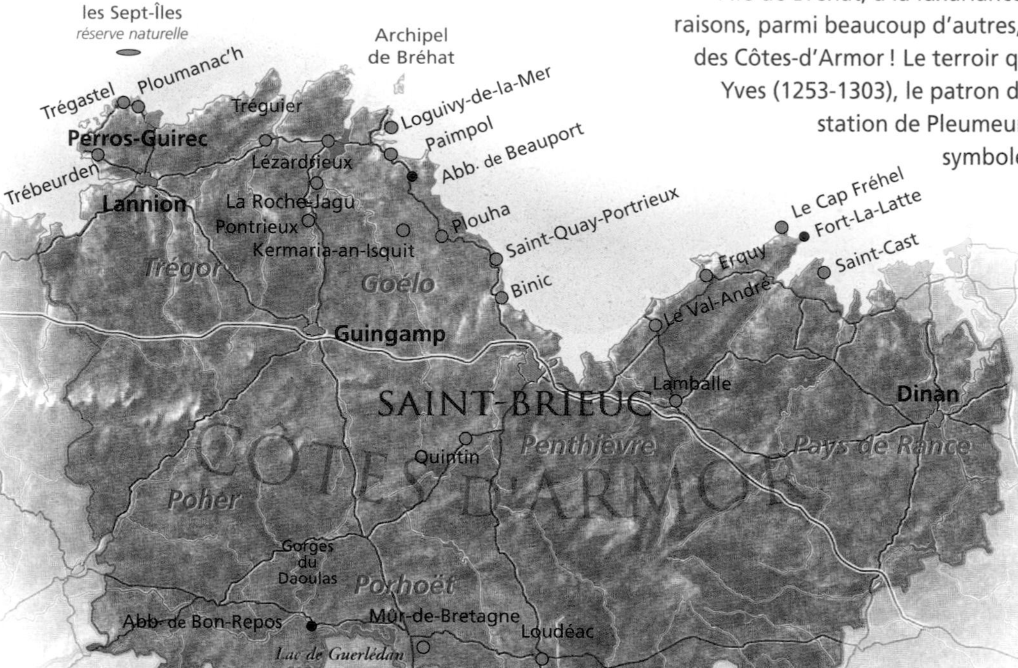

Le «Père Trébeurden».

LANNION

Lannion est la petite capitale d'une région où mégalithes et satellites font bon ménage. À Pleumeur-Bodou, le musée des télécommunications et le planétarium, qui projettent le visiteur dans un avenir résolument technologique, voisinent avec le menhir christianisé de Saint-Uzec, vieux de 4500 ans. Baignée par les eaux du Léguer, la cité de Lannion a sa «colline inspirée», les hauteurs de Brélévenez (Mont-Joie en français) auxquelles on accède par les majestueux escaliers de la Trinité, de 143 marches.

Fondée, dit-on, par un ordre militaire, l'église romane et gothique renferme de nombreux retables et, dans la crypte, une superbe mise au Tombeau en pierre polychrome du XVIIIe siècle.

Place du Général Leclerc, des cariatides agrémentent les pans de bois des maisons à colombages.

Les escaliers de Brélévenez.

GUINGAMP

La basilique Notre-Dame, en gothique du XIVe siècle, impose sa majestueuse silhouette à Guingamp. À l'intérieur, l'abondance des piliers crée un sentiment de mystère. Un même sentiment que l'on retrouve sur la place du Centre devant les sirènes et les chimères de l'élégante fontaine (XVIIIe siècle) de La Plomée.

TRÉGUIER

aison d'Ernest Renan
ansformée en musée.

Dominant la vallée du Jaudy, Tréguier, évêché jusqu'à la Révolution, est une petite ville où l'âme et la spiritualité bretonnes s'expriment avec une rare profondeur.

La cathédrale gothique Saint-Tugdual, des XIVe et XVe siècles, a englobé une tour romane, dite *Hasting*. La majesté et l'élégance de l'édifice éclatent aussi bien dans la rosace du porche du Peuple que dans la belle envolée des piliers et des arcades de la nef.

Saint Yves, patron des avocats

Tréguier a vu naître en 1253 Yves Helory de Kermartin, prêtre et avocat des humbles, canonisé en 1347. Chaque 19 mai, le pardon de saint Yves rassemble de nombreux hommes de loi, dont il est le patron, pour une grand-messe dans la cathédrale et une procession jusqu'au Minihy, son village natal.

Le cloître, bijou du gothique flamboyant, est l'endroit idéal pour méditer sur l'œuvre d'Ernest Renan (1823-1892), l'enfant du pays, bien incompris de son vivant, dont la maison natale est ouverte au public. Dominé par deux tours carrées, le port sur le Jaudy nous rappelle que la quiète cité épiscopale s'ouvrait hardiment sur le grand large.

Le port et la cathédrale.

À la pointe de Ploumanac'h,
le phare de Men-Ruz,
domine les blocs de granit.

Le rocher de la Bouteille.

LA CÔTE DE GRANIT ROSE

De Perros-Guirec à Trébeurden, le littoral a connu des bouleversements géologiques tels qu'il en est sorti sens dessus dessous... et merveilleusement beau. La dénomination «côte de granit rose» cache une diversité de roches qui va du rose à gros grains au beige orangé et au gris à grains fins. Morcelée, découpée, à l'infini, la côte multiplie les îlots, les replis, dans une diversité époustouflante de points de vue. Les amoncellements de rochers, à l'équilibre instable et aux formes évocatrices, souvent environnés d'une lande multicolore, composent des paysages uniques en Bretagne qui tiennent un peu de la magie. À Ploumanac'h, le chemin des douaniers pour faire le tour de la pointe se faufile entre criques et chaos. Au milieu de la baie, l'îlot de Costaéres est dominé par la silhouette néo-médiévale, plus vraie que nature, d'un château édifié à la fin du XIXe siècle par un ingénieur polonais. Il y accueillit son ami et compatriote Henryk Sienkiewicz, auteur de l'immortel *Quo vadis*.

Le château de Costaéres.

Saint Guirec et les jeunes filles à marier

Sur la plage de Ploumanac'h, le petit oratoire de saint Guirec est entouré par la mer. Une tradition ancienne voulait que les jeunes filles en mal de mari viennent planter une épingle dans le nez de saint Guirec. Si l'aiguille tenait, elles étaient assurées de trouver un mari dans l'année. Sinon, il fallait patienter un an. Aujourd'hui, une statue en granit a remplacé le petit saint vermoulu et c'est en vain que les jeunes filles interrogent la statue.

Sant C'Hireg est le nom breton de saint Guirec, vénéré à Ploumanac'h. Ce cotre à tape-cul est la réplique très rapprochante d'un langoustier à voile de Camaret.

La plage de Trestraou à Perros-Guirec.

De la plage de Coz Pors à celle de la Grève Blanche, et tout autour de l'île Renote (désormais reliée à la terre ferme), le sentier côtier serpente entre les blocs granitiques et enchâsse les panoramas. Quel contraste entre la placidité des criques et les soubresauts géologiques à l'origine des formes parfois torturées des rochers !

Dès 1866 les premiers touristes viennent goûter au charme balnéaire de Perros-Guirec. Déjà, au début de ce siècle, ses boulevards en front de mer, ses promenades pédestres, ses plages de Trestrignel et de Trestraou, son église Saint-Jacques, romane et gothique, étaient appréciés par deux célèbres résidents, l'écrivain Charles Le Goffic et le peintre Maurice Denis.

Depuis lors, un port de plaisance de grande capacité a creusé son bassin à flot bien à l'abri au fond de la baie.

Trégastel, embarquement à Coz Pors devant le rocher du Dé.

La réserve des Sept-Îles

Au large de Ploumanac'h, le petit archipel inhabité des Sept-îles couvre à peine quarante hectares à marée haute. Mais il est depuis 1912 un haut-lieu de l'ornithologie en Bretagne. Gérée par la Ligue pour la protection des oiseaux, la réserve naturelle demeure le plus important site français pour la nidification des oiseaux de mer. Le fou de Bassan, le macareux moine ou le puffin des Anglais tentent de s'y maintenir contre vents et marées noires, leurs mortelles ennemies. De la plage de Trestraou, en Perros-Guirec, on embarque pour l'île aux Moines, la seule accessible au public.

PAIMPOL

Contrairement à ce que suggère La Paimpolaise, la célèbre chanson (1895) de Théodore Botrel, il n'y a guère de falaise à Paimpol. Mais bien une large baie, hérissée de récifs et d'îlots, dont celui de Saint-Riom, siège, au Moyen Âge, d'un éphémère monastère. À quelques kilomètres au nord, la pointe de l'Arcouest, où l'on embarque pour Bréhat, offre un panorama splendide sur cette côte éclatée en mille morceaux.

Comment, à Paimpol, oublier la saga morutière ? Le Musée de la Mer qui restitue la vie des terre-neuvas, les maisons d'armateurs du quai Morand, la statue de Notre-Dame-de-Bonne-Nouvelle, exposée dans l'église et portée en procession pour le pardon des «Islandais» : l'épopée vit encore, et de quelle façon, dans la mémoire collective.

Escale de vieux gréements dans le bassin à flot.

PLOUBAZLANEC

Ce petit port voisin de Paimpol a payé un lourd tribut à la pêche d'Islande. Au cimetière, un émouvant «mur des disparus» rend hommage aux marins engloutis par les flots ou décimés par la maladie. À la Croix des veuves, les femmes de pêcheurs guettaient le retour des goélettes.

Entre Paimpol et l'île de Bréhat, Porz-Even avec sa petite chapelle de la Trinité.

Pêcheurs d'Islande

La dernière campagne de pêche à la morue au large des côtes d'Islande eut lieu en 1935. L'épopée avait commencé en 1852 quand les Paimpolais abandonnent peu à peu les bancs de Terre-Neuve pour mettre cap plus au nord. Elle a atteint son apogée en 1895 alors que le port arme plus de quatre-vingts goélettes. Ces campagnes de six mois harassantes, dangereuses, souvent fatales aux matelots et aux mousses, ont atteint une dimension épique, grâce, notamment, au roman de Pierre Loti, «Pêcheur d'Islande» (1886).

LOGUIVY-DE-LA-MER

Une chanson pleine de sensibilité de François Budet a contribué à la notoriété de ce petit port comme en embuscade à l'embouchure du Trieux. Auparavant, les peintres Henri Rivière, Charles Menne et Mathurin Méheut, Pierre Loti et même Lénine avaient succombé au charme des quais encombrés de casiers. La flottille alimente les viviers en homards, araignées et langoustes. «Loguivy-de-la-Mer, au fond de ton vieux port s'entassent les carcasses des bateaux déjà morts».

Départ matinal pour la pêche dans le port de Loguivy-de-la-Mer.

La côte tourmentée vers la pointe du Château à Plougrescant.

PONTRIEUX

La maison à colombages dite «Tour Eiffel» a sans doute été construite au XVIe siècle sur la place de Pontrieux par un marchand enrichi dans le commerce maritime. La situation de la cité au fond de l'estuaire du Trieux lui valait d'être remontée par des caboteurs à voile qui venaient y charger les céréales et les toiles de chanvre et de lin.

Le château de La Roche-Jagu en Ploëzal.

À quelques kilomètres au nord, le château de La Roche-Jagu dresse ses murailles du début du XVe siècle et ses cheminées ouvragées au-dessus d'un coude du Trieux dans un site d'une austère grandeur. Propriété du département, l'édifice accueille des expositions de qualité.

La chapelle Saint-Gonéry (XVe-XVIIe siècle)

À l'entrée de Plougrescant, un clocheton en bois et plomb cocassement incliné et une chaire à prêcher extérieure signalent la chapelle Saint-Gonéry, romane et gothique. Sur le lambris de la nef, les peintures de la fin du XVe siècle, d'une touchante naïveté, racontent la vie d'Adam et Ève et d'autres personnages de l'Ancien et du Nouveau Testament.

La chapelle de Saint-Michel.

La balise de Men-Joliguet.

Port-Clos.

L'anse de Port-Clos.

Le moulin de Birlot à marée haute.

Le phare du Paon.

L'ARCHIPEL DE BRÉHAT

Un ravissement. Le paradis de la côte nord. Au milieu d'un invraisemblable semis d'îlots, «l'île aux fleurs» fut chantée par tous, écrivains et peintres, comme Foujita et Matisse qui vinrent y chercher l'inspiration. Reliées par un pont, deux îles, la méridionale, plus peuplée, la septentrionale, plus sauvage, mais une même poésie, faite de l'absence de voitures, d'une végétation luxuriante, de l'omniprésence des oiseaux et des panoramas infinis qui surgissent à chaque pas. Au creux des criques et des anses, un sentiment de dépaysement et de paix vous envahit. Le soir, quand s'allument les phares de l'île et des parages marins, la magie est totale.

L'ABBAYE DE BEAUPORT

Au fond de l'anse de Paimpol, dans un superbe cadre d'eau, de grève et de verdure, les ruines romantiques de l'abbaye de Beauport bénéficient désormais de la sollicitude éclairée du Conservatoire du littoral, propriétaire des lieux. Dès le milieu du XIIIe siècle, les moines de l'ordre des Prémontrés avaient achevé l'essentiel de l'édifice, qui passait pour la plus belle abbaye de Bretagne, et l'une des plus puissantes.

La Révolution la convertit en fabrique de poudre, mais la délicate salle capitulaire, de style normand, a échappé aux destructions. On visite aussi les salles de l'aumônerie, de la pressure, du grand cellier, de la maison des hôtes, du réfectoire. Ouvrant directement sur le ciel, les arcs et fenestrages de l'abbatiale dégagent une poésie un peu mélancolique qui s'accorde bien à la placidité de la baie et de l'étang voisins.

La Danse Macabre de Kermaria-an-Isquit

Sur les murs de la nef de la chapelle de Kermaria en Plouha, une Danse Macabre, fresque réalisée à la fin du XVe siècle, déroule ses inquiétants tableaux. Le roi et l'archevêque, le chevalier et le marchand, le laboureur et l'ermite, sont entraînés dans une farandole à l'issue fatale.

La plage Bonaparte.

PLOUHA

Les falaises de Plouha, les plus hautes de Bretagne, s'étendent sur quinze kilomètres et culminent à cent quatre mètres à la pointe de même nom. Par le sentier de Gwin Zégal, on découvre un espace littoral d'une prenante beauté.

Au-dessus de l'anse Cochat, une stèle commémore le souvenir des réseaux d'évasion qui, en novembre 1943, ont aidé cent trente-cinq aviateurs alliés à regagner l'Angleterre. L'opération portait le nom de Bonaparte, d'où le nom donné à la plage.

SAINT-QUAY-PORTRIEUX

La vogue des bains de mer a débuté à Saint-Quay dès 1841 ! Une communauté de religieuses du cru y a même prêté la main. La station a pris son envol, riche de nombreux atouts : plusieurs plages de sable fin, un port de plaisance d'un millier d'anneaux, une gare maritime, une nature préservée.

Le port de pêche et de plaisance de Saint-Quay-Portrieux.

La naissance de la pêche à la morue à Terre-Neuve serait le fait des marins de Portrieux et de Binic vers 1500. À l'apogée, au XIXe siècle, les terre-neuvas sont des goélettes d'environ 150 à 300 tonneaux, qui totalisent jusqu'à 2800 hommes d'équipage. Les deux ports se sont reconvertis dans le maquereau, le bar, la coquille Saint-Jacques et les crustacés.

BINIC

Sur les quais de Binic est encore palpable son prestigieux passé maritime quand le port armait une cinquantaine de navires, mille cinq cents marins à bord, pour la pêche à la morue sur les bancs de Terre-Neuve.

Vue générale du port de Binic.

Quelques maisons d'armateurs et l'auberge du Cheval Blanc, du XVIIe siècle, témoignent de cette grande époque. Le tourisme a pris le relais, grâce au port de plaisance et à deux plages bien abritées, la Banche et le Goulet.

La plage de la Banche à Binic.

SAINT-BRIEUC

Les vieux quartiers

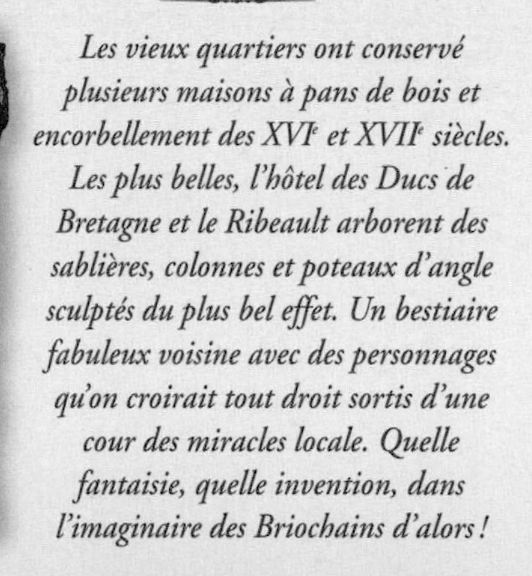

Les vieux quartiers ont conservé plusieurs maisons à pans de bois et encorbellement des XVIe et XVIIe siècles. Les plus belles, l'hôtel des Ducs de Bretagne et le Ribeault arborent des sablières, colonnes et poteaux d'angle sculptés du plus bel effet. Un bestiaire fabuleux voisine avec des personnages qu'on croirait tout droit sortis d'une cour des miracles locale. Quelle fantaisie, quelle invention, dans l'imaginaire des Briochains d'alors !

Saint-Brieuc, c'est d'abord une baie, vaste, où se pêche la coquille Saint-Jacques, s'élèvent des moules sur bouchots et s'observent les oiseaux marins. Aux grandes marées, la mer s'y retire sur sept kilomètres ! Saint-Brieuc, la ville, occupe un site un peu tarabiscoté au-dessus du Gouët, qui se creuse dans le port du Légué avant l'embouchure.

Il ne faut pas attendre de la cathédrale-forteresse, symbole de la cité, qu'elle se pare de délicatesse. Effectivement, ses deux tours des XIVe et XVe siècles présentent des murailles nues surmontées de mâchicoulis. Mais à l'intérieur, le glorieux retable baroque de l'Annonciation éclate de festons et de dorure.

Le retable de l'Annonciation.

QUINTIN

L'atmosphère de Quintin est celle d'une vieille province un peu engourdie derrière les nobles façades de ses hôtels du XVIIIe siècle. Fini le temps où les toiles assuraient la prospérité et le renom de la cité, où les seigneurs de la place narguaient les pouvoirs civils et religieux en affichant leur foi huguenote avec ostentation, où la population de la ville dépassait celle de Saint-Brieuc.

Près d'un pavillon du XVIIe siècle surplombant l'étang sur le Gouët de sa masse sévère, ébauche d'un édifice ambitieux resté inachevé, le logis Louis XV du château vaut la visite pour les objets précieux et rares, et les expositions raffinées qu'il abrite.

LAMBALLE
La maison du Bourreau

La maison du Bourreau, du XVe siècle, doit son nom à sa situation sur la place du Martray, où se rendait autrefois la justice. Ce beau logis médiéval aux colombages soignés abrite le musée Mathurin Méheut (1882-1958). Né à Lamballe, le trait vif et le regard chaleureux, il fut le peintre de la vie quotidienne en Bretagne.

LE VAL-ANDRÉ

La Pauline

Depuis 1882, le Val André offre son exceptionnelle plage, l'une des plus belles de la côte nord, aux amateurs de bains de mer. Elle s'adosse à la pointe de Pléneuf d'où la vue s'étend de la baie de Saint-Brieuc au Cap d'Erquy. En face, la réserve ornithologique de l'îlot du Verdelet est le domaine des sternes, des mouettes et des cormorans.

Par la pointe de la Grande Guette, le GR 34 dévale vers l'estuaire de la Flora où s'abrite le charmant petit port de Dahouët. Après avoir, pendant des siècles, armé pour Terre-Neuve et l'Islande, il se consacre à la coquille Saint-Jacques.

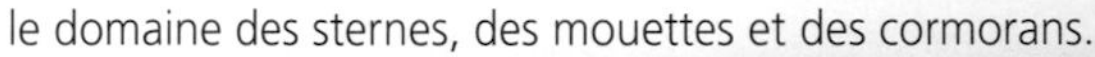

Dahouët est le port d'attache du vieux gréement *La Pauline*, lougre ponté à l'élégante voilure. Ce navire de transport a été reconstitué à l'identique par une équipe de mordus de la tradition maritime. Des sorties en mer permettent à tout un chacun de goûter au plaisir de la navigation à l'ancienne.

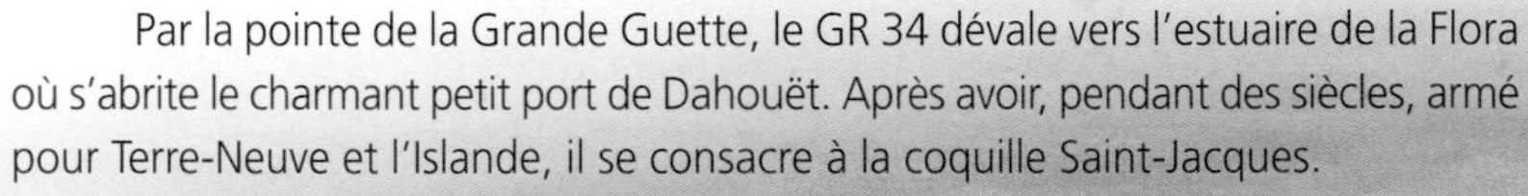

ERQUY

Un superbe espace naturel, le Cap d'Erquy, sept plages situées au cœur de la station ou au contraire dans la solitude d'un littoral préservé, un port de pêche actif, des vestiges archéologiques, le souvenir de hauts faits d'histoire : Erquy, c'est ce qui fait sa séduction, n'a rien de la station balnéaire impersonnelle.

La pêche à Erquy

Au pied de la falaise, annoncé par son petit phare, le port d'Erquy allie le pittoresque et l'efficacité, puisqu'il abrite une flottille d'une centaine de bateaux. Sa spécialité, où il est reconnu comme l'un des premiers en France : la pêche à la praire et la coquille Saint-Jacques. Très réglementée pour éviter la surexploitation des fonds, elle se pratique de novembre à avril, deux heures, quatre jours par semaine. En été, les bateaux arment pour la sole, le merlu et la raie, pêchés au chalut. Les coquilliers voisinent avec la Sainte-Jeanne, un voilier traditionnel de seize mètres reconstruit à l'identique.

Au fil du sentier côtier, voici les Fossés Catuélan et de Pleine-Garenne, retranchements édifiés par la tribu celte des Coriosolites avant l'arrivée des Romains, le four à boulets du XVIIe, la fontaine de Lourtuais, et des falaises tapissées de bruyères, des rochers piaillant d'oiseaux marins, des plages dignes de Robinson, des points de vue toujours différents, de la beauté encore et encore.

La plage du Portuais située dans le site naturel du cap

LE CAP FRÉHEL

On ne se lasse pas du grandiose spectacle de la nature au Cap Fréhel. Les murailles échancrées de ses falaises de schiste et de grès rose dominent la mer de plus de soixante-dix mètres. Pour peu que le vent souffle sur ce promontoire de la démesure, il se dégage une atmosphère de lutte âpre contre les éléments qui vous marque pour longtemps. Épousant au plus près les indentations de la côte, le GR 34 est le moyen idéal pour la parcourir.

Reconstruit en 1950, le phare voisine avec une tour à feu élevée par Vauban en 1695, qui fonctionna d'abord au charbon puis à l'huile de poisson. Quatre cents hectares de landes éclatent au printemps et en été des couleurs or et pourpre des ajoncs et des bruyères. Mais sait-on que des plantes carnivores et de précieuses gentianes se cachent au fond des zones tourbeuses ?

La réserve ornithologique

Sept à huit cents couples d'oiseaux nicheurs peuplent les côtes escarpées du Cap Fréhel, en partie converties en réserve ornithologique. Parmi les espèces dont on admire le ballet incessant au-dessus des falaises et des îlots, voici le cormoran huppé, le grand corbeau, la mouette tridactyle, le pétrel fulmar. Ce sont aussi les alcidés (guillemot et pingouin torda), si menacés par les rejets sauvages d'hydrocarbure, qui assoient la renommée du site. Avec cent quarante couples en 1995, le cap abrite la plus importante colonie française de guillemots de Troïl.

FORT-LA-LATTE

Peut-on rêver cadre plus farouche pour un château-fort ? Sur son promontoire cerné par la mer, protégée côté terre par deux ravins, la forteresse de La Roche-Goyon, devenue Fort-La-Latte, dresse ses murailles, son donjon et ses tours des XIVe et XVe siècles comme un défi permanent au temps et aux éléments.

Les maîtres des lieux, les Goyon, seigneurs de Matignon, ont connu un étonnant destin. Jacques de Goyon acquit au XVIIIe siècle un hôtel particulier à Paris, qu'il baptisa du nom de sa terre bretonne, devenu résidence du premier ministre. Son fils épousa, en 1775, Louise Grimaldi, fille du prince de Monaco. Depuis, les cloches de l'église de Matignon carillonnent pour chaque naissance princière sur le célèbre rocher. Si des assaillants montent parfois encore à l'assaut des courtines, c'est de plus pacifique manière. Un tel cadre ne pouvait qu'inspirer les réalisateurs de cinéma, dont Fleischer en 1957 pour *«Les Vikings»* et De Broca pour *«Chouans»*.

Le donjon et les enceintes du château-fort.

Saint-Cast - Le Guildo, le château de Gilles de Bretagne sur les rives de l'Arguenon.

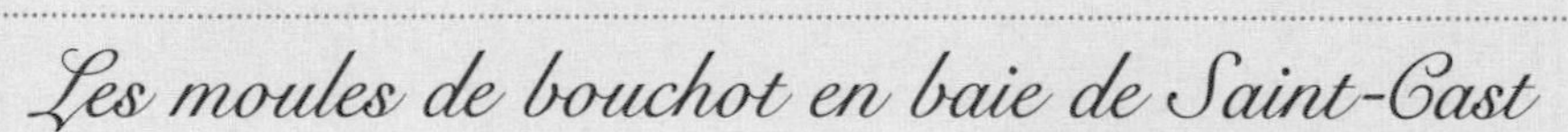

Les moules de bouchot en baie de Saint-Cast

L'élevage des moules se pratique sur des pieux de bois «bouchots», plantés dans la zone de marées. Le naissain est capté sur des cordes horizontales qui sont ensuite enroulées en torsade autour des bouchots. La taille commerciale des moules est atteinte en moins de deux ans.

LE GUILDO

L'Arguenon prend ses aises pour se jeter dans la Manche à hauteur des ruines féodales du château du Guildo. Après s'être écroulées sans bruit pendant des siècles, les murailles font désormais l'objet d'une patiente restauration.

Le site, romantique, un rien mélancolique, est encore hanté par le tragique souvenir de Gilles de Bretagne, qui s'était fiancé à la riche héritière du Guildo. Ce fils du duc Jean V fut en butte à l'animosité de son frère aîné François 1er de Bretagne, qui finit par le faire étouffer en 1450.

Le port de plaisance de Saint-Cast - Le Guildo.

La grande plage.

SAINT-CAST

A l'abri de la pointe du même nom, la station balnéaire de Saint-Cast a pris son essor à la fin du XIXe siècle quand furent lotis les abords de la pointe de la Garde. Au milieu des pins et des acacias, les villas et les hôtels accueillirent une clientèle distinguée qui adopta le charme de la baie de l'Arguenon.

La séduction opère toujours, aussi bien le long de la Grande Plage que dans le vieux quartier de l'Isle et le Port Jacquet où se côtoient les plaisanciers et les pêcheurs de coquilles Saint-Jacques. Qu'il paraît loin ce 11 septembre 1758 où la bataille de Saint-Cast mit aux prises les flottes franco-bretonnes et anglaises, occasionnant de lourdes pertes dans les deux camps.

À la fête des Remparts, les cavaliers joutent dans la lice.

Le port, le vieux pont et la vallée de la Rance.

Anne de Bretagne

Parmi les vitraux de l'église Saint-Malo de Dinan, celui de l'entrée, en 1505, d'Anne de Bretagne dans la ville émeut plus d'un Breton. Reine de France pour la seconde fois - elle est alors mariée à Louis XII - la duchesse a entamé un tro Breizh qui la mène sur les tombeaux des saints fondateurs des évêchés bretons. Au faîte de sa popularité, elle renoue des liens avec ses fidèles sujets et prie pour donner un héritier mâle à son royal époux. Elle mourra neuf ans plus tard, en 1514, à l'âge de trente-sept ans, sans avoir été exaucée.

La porte du Jerzual.

DINAN

Dinan serait-elle la cité ancienne la plus évocatrice de Bretagne ? Ses maisons à pans de bois, parfois sur pilotis, ses murailles et son donjon, ses églises, composent un séduisant décor de la fin du Moyen Âge et des siècles suivants. Les logis encorbellés, un peu de guingois, que domine la tour de l'Horloge, siège de la communauté de ville sous l'Ancien Régime, se pressent le long de rues et ruelles qui ont conservé leur tracé ancien.

Le portail roman de l'église Saint-Sauveur s'anime de monstres anguipèdes et de sirènes. Le sanctuaire abrite le cœur de Du Guesclin, chevalier natif des environs qui devint connétable de France. Dévalant la colline, antiques voies de liaison entre la ville et le port sur la Rance, les rues sinueuses du Jerzual et du Petit-Fort, sont bordées de pittoresques logis.

Maisons à colombages de la place de l'Apport.

LE PAYS DE GUERLÉDAN

Mûr-de-Bretagne

La construction, entre 1923 et 1930, du barrage hydroélectrique de Guerlédan a élargi la vallée du Blavet aux dimensions d'un lac. Les rives escarpées et boisées, le tracé sinueux, composent un paysage inhabituel en Bretagne, désormais voué aux loisirs nautiques et au tourisme vert. On peut espérer qu'un jour le barrage n'interrompe plus la navigation sur le canal.

La rive sud du lac s'adosse à la forêt de Quénécan, trois mille hectares de hêtres, d'épicéas et de pins. Les sylves dissimulent aux regards deux délicieuses chapelles de clairière, Saint-Ignace et Saint-Marc, ainsi que les ruines écroulées de l'antique château des Salles, berceau de la puissante lignée des Rohan, deuxième en Bretagne après la famille ducale. Mûr-de-Bretagne, la petite capitale de cette région au charme champêtre, abrite la chapelle Sainte-Suzanne qui séduit à la fois par son enclos planté de chênes centenaires, qui a inspiré le peintre Corot, et par sa riche statuaire.

Saint-Aignan *(Morbihan)*

Avec son porche et sa tour carrée du XVe siècle, l'église de Saint-Aignan a conservé l'air rustique de ses origines. Mais à l'intérieur, chef-d'œuvre d'un atelier local, le retable de *l'Arbre de Jessé* est étonnant de délicatesse, de verve et d'humour.

Les forges des Salles

Au cœur de la forêt de Quénécan, le village sidérurgique des Forges des Salles a cessé toute activité en 1880. Il remontait au Moyen Âge quand la conjonction du minerai de fer, du bois et de l'eau avait incité les Rohan à y installer le premier haut-fourneau. Les vestiges actuels datent surtout du XVIIIe siècle, dont l'imposant logis du maître des forges.

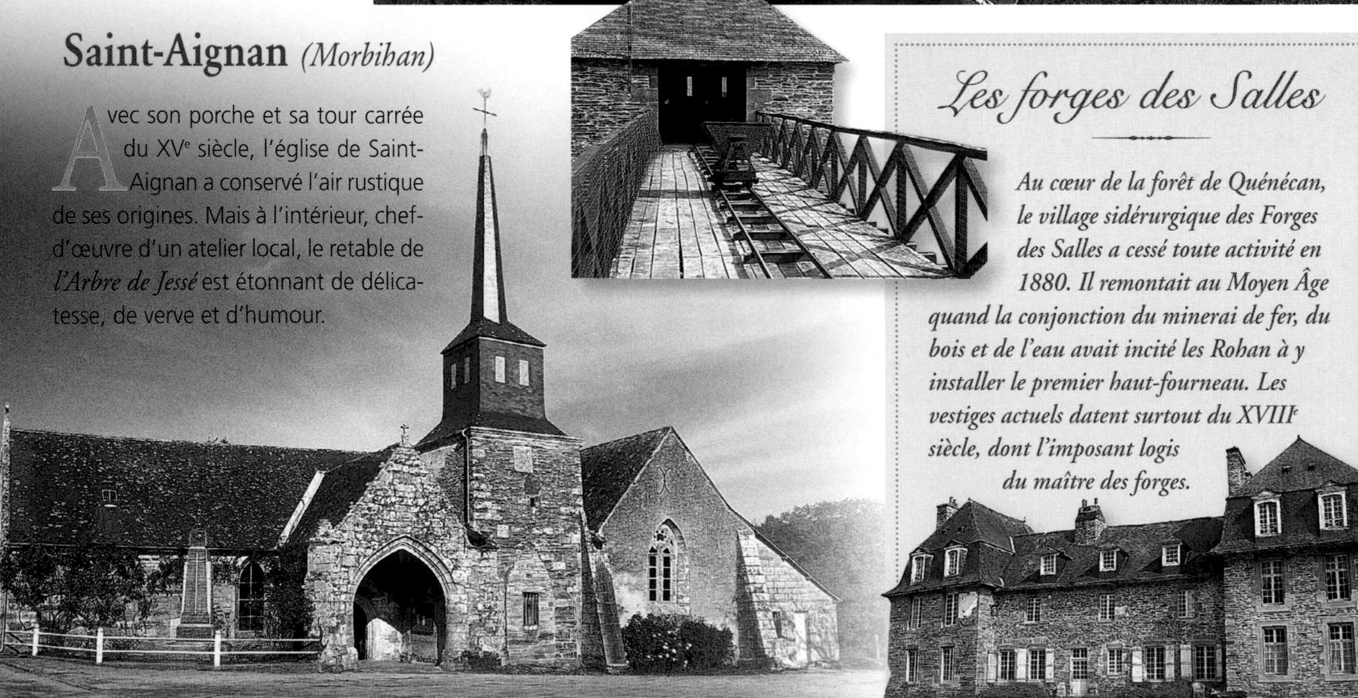

L'Abbaye de Bon-Repos

Au confluent du Daoulas et du Blavet, dans un site d'une beauté paisible, se dresse la majestueuse façade classique de l'abbaye de Bon-Repos. De sa fondation en 1184 par un vicomte de Rohan à la Révolution, les moines cisterciens l'ont habitée et animée.

Après un long abandon, des passionnés réhabilitent les ruines du logis abbatial. Au nord, les escarpements de schiste des gorges du Daoulas composent un paysage d'une rudesse qui tranche avec la sérénité du site monacal.

Les gorges du Daoulas.

Lanrivain

La fontaine du Guiaudet est monumentale avec ses deux bassins jumeaux, surmontés de niches.

Cléguérec (Morbihan)

Près de la chapelle de la Trinité à Cléguérec, à la belle statuaire, la fontaine du XVIe siècle marie avec raffinement le gothique flamboyant et l'art nouveau. Surmonté par un crucifix à trois croix, le bassin principal s'orne en son fronton d'une coquille, tandis que sous l'arcade un groupe de la Trinité accueille les pèlerins.

Les allées couvertes de Liscuis

Au-dessus des gorges du Daoulas, trois allées couvertes étaient jadis intégrées dans le même tumulus. Chacune se compose d'un couloir, d'une chambre funéraire et d'une cellule. Il y a quelque cinq mille ans, une communauté du néolithique y enterrait ses morts.

L'Ille-et-Vilaine

VOYAGE EN BRETAGNE

Rennes domine l'Ille-et-Vilaine de tout son poids historique, économique, universitaire et démographique. Au cœur de la cité, le Parlement de Bretagne ressuscité incarne la prééminence de la capitale bretonne, d'abord du duché (en partage avec Nantes), puis de la province, enfin de la région administrative. Mais l'Ille-et-Vilaine n'est pas monolithique pour autant. Redon regarde vers l'embouchure de la Vilaine ; Fougères garde la nostalgie de ses luttes ouvrières liées à la chaussure ; Dinard est aristocratiquement british ; et Saint-Malo est Saint-Malo. La réussite commerciale de la cité corsaire, le dynamisme et l'ampleur de ses entreprises maritimes, le nombre de ses gloires, de Jacques Cartier à Chateaubriand, tout l'a longtemps incitée à s'ériger en une sorte de république autonome. Dommage qu'il faille partager quelques-uns de ses plus beaux joyaux. La vallée de la Rance, la côte d'Émeraude, la forêt de Paimpont qui, sous le nom de Brocéliande, dévide la légende arthurienne, la baie du Mont-Saint-Michel, franchissent allègrement les limites départementales. L'Ille-et-Vilaine se console à la pensée qu'il est seul en Bretagne à posséder trois cathédrales, Rennes, Dol, Saint-Malo, et qu'il peut fonder sa promotion sur des atouts aussi reconnus et différents que l'huître de Cancale et... Madame de Sévigné.

SAINT-LUNAIRE

Si un moine gallois fonda Saint-Lunaire, la station fut lancée à la fin du XIXe siècle par un banquier haïtien. On comprend que l'un et l'autre aient été séduits par cette côte d'une beauté lumineuse, faite d'une succession de plages et d'avancées rocheuses.

De la pointe du Décollé, célèbre pour ses villas de style éclectique noyées dans la verdure, la vue est superbe sur la côte d'Émeraude.

La Légende de saint Lunaire

Saint Lunaire est originaire du Pays de Galles. Évêque d'un grand monastère, il émigra avec ses moines, vers l'an 509. Il aborda près de la pointe du Décollé et entreprit très vite de défricher le pays. Pour fixer les limites de son nouveau monastère, le saint homme «jetait son manteau sur de longues pierres couchées qui se levaient sur son ordre, se mettaient en marche et s'arrêtaient où se terminaient les terres monastiques». Au sarcophage d'origine gallo-romaine, on a rajouté au XIVe siècle une dalle de granit représentant le saint évêque dans ses habits épiscopaux. Saint Lunaire est invoqué pour guérir les maladies des yeux.

DINARD

Découvert au siècle dernier par une clientèle fortunée, anglaise parfois mais aussi parisienne, le site de Dinard se couvrit de villas et d'hôtels. Le lieu avait de quoi séduire : la douceur du climat, la rencontre de l'estuaire de la Rance et de la mer, la diversité des perspectives, la proximité de Saint-Malo, tout incitait à jouir de ce qui n'était alors qu'un simple hameau de Saint-Enogat.

Tentes, sable, vacances...

Les pointes chics, la thalasso, la grande plage, les villas et les fleurs.

La Belle Époque a vécu, la station s'est démocratisée, mais les villas extravagantes des pointes du Moulinet et de la Malouine, à fausses tourelles et vues imprenables, témoignent encore d'un certain art de vivre. Les hôtels de luxe de l'avenue George V continuent à offrir à leur clientèle le splendide panorama de la Rance, des remparts de Saint-Malo et de la Tour Solidor.

L'église anglicane de Saint-Barthélémy accueille encore des fidèles britanniques. Et la promenade du Clair-de-Lune, au nom si évocateur, fait rêver ceux-là et tous les autres. Dinard sera toujours Dinard.

Les villas «belle époque» de la pointe du Moulinet.

SAINT-MALO

Une république à elle seule. Jalouse de son indépendance, la cité de Saint-Malo avait de quoi nourrir son orgueil. Les «Messieurs de Saint-Malo», armateurs adeptes de la course, commerçaient avec le monde entier. L'îlot a vu naître de hardis marins, Jacques Cartier, Duguay-Trouin ou Surcouf, mais aussi des esprits parmi les plus brillants de leur temps, Chateaubriand ou Lamennais.

Chateaubriand et son tombeau sur le Grand Bé.

Dans la cour de la Houssaye, la maison dite «de la Duchesse Anne», un très beau logis à tourelle du XVe siècle.

Les remparts et la Grande Porte.

Tempête sur le château Gaillard.

Le passé glorieux de la ville affleure aussi bien dans la cité intra-muros où, autour de la cathédrale, se pressent les hôtels des armateurs, que sur les remparts. La tour Solidor qui surveille l'entrée de la Rance évoque l'épopée cap-hornière. Saint-Malo et la mer, une longue histoire d'amour qui n'est pas prête de s'éteindre, comme en témoigne le succès de son festival international du livre et du film *«Étonnants voyageurs»*.

Les navires-écoles portugais Creoula et Sagres dans le bassin Vauban.

Surcouf 1773-1827

CANCALE

Cancale, cité double : en haut des falaises, le bourg et l'église ; en contrebas, le port de la Houle, où se tassaient les maisons des pêcheurs, menacées par les inondations. La ville doit son renom à ses huîtres, succulentes, et à la forte personnalité de ses femmes. Il fallait bien que les Cancalaises assurent le quotidien, alors que les hommes naviguaient, embarqués à bord des terre-neuvas ou des bisquines, qui se consacraient à la pêche côtière.

À marée basse, des habitués perpétuent la pratique de la pêche à pied.

Les huîtres

Au vu des nombreux restaurants qui en proposent sur le front de mer, l'huître a encore de beaux jours à Cancale. Tant mieux car grande est sa renommée. Près de quatre cents hectares de parcs sont exploités dans la baie. Importées du sud de la Loire et du golfe du Morbihan, les petites huîtres, plates ou creuses, sont élevées à partir du naissain.

Les bisquines, splendides voiliers d'origine normande, parmi les plus toilés de France, ont récemment été ressuscitées par une association, qui a aussi relancé les régates.

La crête rocheuse de la pointe du Grouin, haute de cinquante mètres, offre un belvédère d'une rare beauté. Par temps clair, la vue s'étend du Cap Fréhel au Mont-Saint-Michel !

Le port de la Houle et le bourg d'en haut dominé par son église néo-gothique de 1875.

LE MONT-SAINT-MICHEL
en Côte d'Émeraude

Aux limites de la Bretagne et de la Normandie (mais en territoire normand !), depuis plus de mille quatre cents ans, une communauté chrétienne insuffle l'esprit en ce lieu exceptionnel, pèlerinage déjà réputé au haut Moyen Âge. Édifiée au Xe siècle à l'emplacement d'un premier sanctuaire, l'église préromane est la strate d'un ingénieux et splendide édifice, qui n'a cessé de se développer sur ce territoire circonscrit par les eaux. Toute l'âme du Mont flotte dans l'abbatiale et les innombrables bâtiments monastiques, dont le cloître aérien, suspendu entre ciel et mer. À marée basse, on peut faire le tour du village pour en apprécier la ceinture défensive. À la nuit tombée, vidée de sa marée humaine, la Merveille livre toute son authenticité et sa magie envoûtante.

Les prés salés au pied du Mont.

Jeux de lumière sous les arcades du cloître.

Dernières lueurs sur le Mont.

DOL-DE-BRETAGNE

Dédiée à Saint Samson, la cathédrale est un joyau de style gothique normand. Vaste et élégante, sa nef est éclairée par un grand vitrail, l'un des plus anciens de Bretagne. Dans cet édifice à la façade austère, la Renaissance italienne s'est glissée dans un magnifique tombeau d'un évêque du XVIe siècle. La cité a conservé quelques logis moyenâgeux, dont la précieuse maison des Plaids qui témoigne de l'architecture civile du XIIe siècle.

Le menhir du Champ-Dolent. Au village de Carfentin se dresse l'un des plus beaux menhirs de Bretagne. Haut de 9,50 mètres, il a suscité bien des légendes...

COMBOURG

Le visiteur est injuste envers les seigneurs de Combourg. De la cohorte des gentilshommes des siècles passés qui ont bâti, agrandi, embelli, parfois défendu la forteresse, il ne retient qu'un nom : Chateaubriand. Au milieu de son parc, le château impressionne.

La façade et les tours médiévales tranchent avec l'intérieur, restauré au siècle dernier dans un style néo-gothique vigoureusement affirmé. Serrée au pied du château, la ville a conservé quelques anciens logis intéressants.

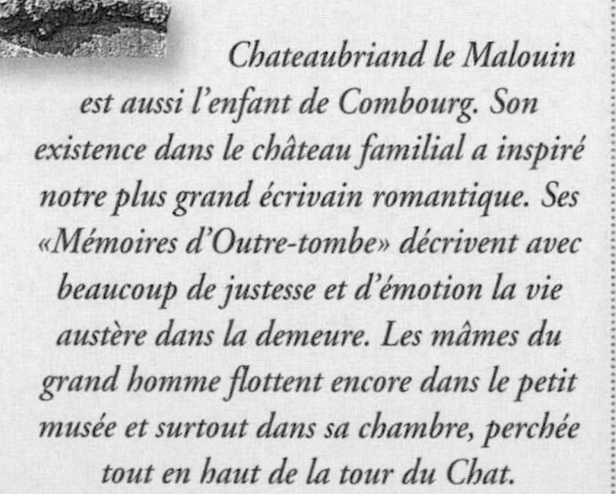

Chateaubriand

Chateaubriand le Malouin est aussi l'enfant de Combourg. Son existence dans le château familial a inspiré notre plus grand écrivain romantique. Ses «Mémoires d'Outre-tombe» décrivent avec beaucoup de justesse et d'émotion la vie austère dans la demeure. Les mânes du grand homme flottent encore dans le petit musée et surtout dans sa chambre, perchée tout en haut de la tour du Chat.

HÉDÉ

Au bas de la colline de Hédé, le canal d'Ille-et-Rance, mis en service en 1832, devait, sur une distance de deux kilomètres, franchir quelques 25 mètres de dénivellation.

On a donc construit un escalier de onze écluses, distantes de 150 mètres en moyenne, du plus bel effet. Des arbres vénérables font un cadre majestueux à cette avenue d'eau, de vantaux et de verdure unique en Bretagne.

BÉCHEREL

La belle perspective que celle de Bécherel. Un village perché au-dessus d'une campagne verdoyante, lui-même dominé par la flèche puissante et élancée (1898) de son église.

Le lin et le chanvre y faisaient vivre des marchands à l'aise, dont on admire les robustes maisons de pierre des XVIIe et XVIIIe siècles. La petite cité de caractère a été investie par les bouquinistes, qui en font une capitale du livre d'occasion.

Le château de MONTMURAN

Dominant la campagne, la forteresse de Montmuran a fière allure. Elle remonte au XIIe siècle, mais le grand châtelet à pont-levis et la chapelle datent du XIVe.

La tradition veut qu'en 1354, Bertrand du Guesclin, après avoir repoussé une attaque des partisans de Jean de Montfort pendant la guerre de Succession de Bretagne, ait, sur le champ, été armé chevalier dans la chapelle. Quelques années plus tard, il épousa l'héritière du château.

FOUGÈRES

Au fond de la Vallée du Nançon, à deux pas de la frontière avec le royaume de France, la forteresse de Fougères gardait solidement l'un des accès à la Bretagne. Quelle impression de puissance altière se dégage de ses murailles !

Construit entre le XIIe et le XVe siècle selon un plan de défense concentrique, le château est flanqué de treize tours dont les noms mélangent joliment légende et histoire : Mélusine, Raoul, Gobelin, etc. Le chemin de ronde, qui permet de circuler d'une tour à l'autre, offre un large panorama sur les maisons de granit du bourg Neuf et l'église Saint-Léonard qui s'étagent le long d'une crête au-dessus de la rivière.

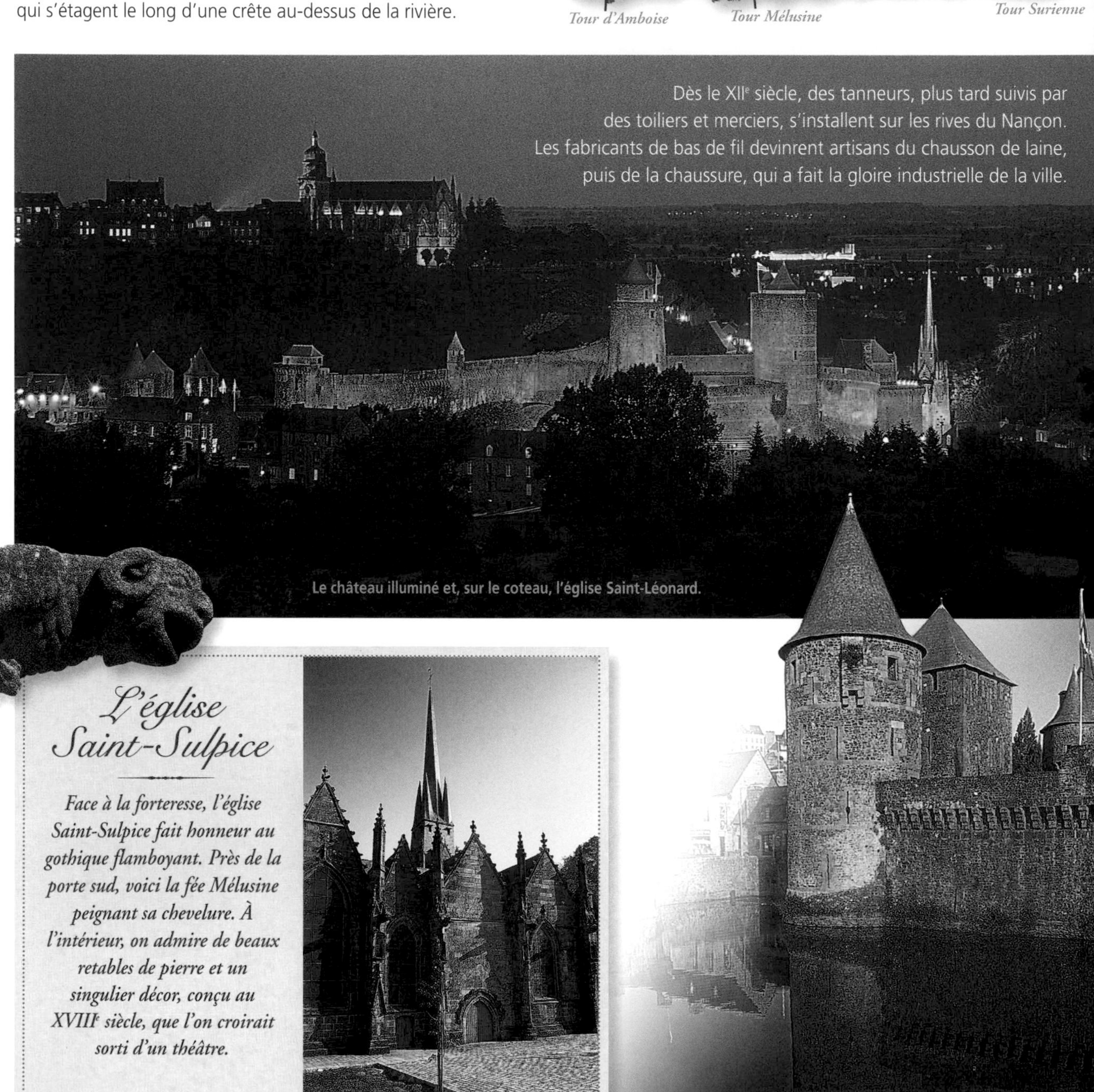

Dès le XIIe siècle, des tanneurs, plus tard suivis par des toiliers et merciers, s'installent sur les rives du Nançon. Les fabricants de bas de fil devinrent artisans du chausson de laine, puis de la chaussure, qui a fait la gloire industrielle de la ville.

Le château illuminé et, sur le coteau, l'église Saint-Léonard.

L'église Saint-Sulpice

Face à la forteresse, l'église Saint-Sulpice fait honneur au gothique flamboyant. Près de la porte sud, voici la fée Mélusine peignant sa chevelure. À l'intérieur, on admire de beaux retables de pierre et un singulier décor, conçu au XVIIIe siècle, que l'on croirait sorti d'un théâtre.

VITRÉ

Un donjon, des tours à poivrières et d'épaisses courtines dominant, du haut de leur batailleuse antiquité, une superbe église en gothique flamboyant (Notre-Dame) et une multitude de logis à colombages et pans de bois : le Moyen Âge breton fait preuve à Vitré d'une rare puissance d'évocation. Édifié aux Marches du duché sur un éperon rocheux, le château est un majestueux exemple d'architecture médiévale. Passée par l'héritage de la famille de Vitré aux Laval, la forteresse tient bon lorsque, place forte protestante, elle est assiégée en 1589 par les Ligueurs du duc de Mercœur, le gouverneur de la Bretagne. Elle abrite aujourd'hui l'Hôtel de Ville et un intéressant musée d'art, d'archéologie et d'ethnographie.

Dans l'ancienne ville close, encore ceinturée d'une partie de ses remparts, les logis des rues de la Baudrairie et d'En-Bas regorgent de détails décoratifs du plus bel effet.

Le château, les maisons à colombages de la rue d'En-Bas.

Le château des Rochers

Dans le secret d'une campagne boisée et verdoyante, le château des Rochers fut pour Madame de Sévigné, désireuse de rompre avec la vie dispensieuse et agitée de la capitale, un refuge apprécié. Construite au XIVe siècle, remaniée au XVIIe, la demeure consacre quelques salles à l'illustre épistolière. L'ombre de la marquise se devine encore dans les allées du jardin à la française, ou dans la chapelle octogonale qu'elle construisit pour son oncle abbé, le «Bien-Bon».

Le château des Rochers.

RENNES

Rennes la capitale. Déjà au Moyen Âge, la cité du confluent de l'Ille et de la Vilaine partageait avec Nantes l'honneur d'abriter la cour et les administrations ducales. Puis, après le traité d'union de la Bretagne et de la France de 1532, elle accueillit le gouverneur et l'intendant qui au nom du roi dirigeaient la province. Enfin, depuis que Nantes a lié son destin aux Pays de Loire, la voici préfecture incontestée de la région Bretagne, réduite à quatre départements.

Cœur historique de Rennes, le quartier médiéval abrite la cathédrale Saint-Pierre, largement reconstruite au XVIIIe siècle, et de beaux logis à pans de bois comme sur les places Sainte-Anne et du Champ-Jacquet. Il est prolongé à l'est par la ville classique, édifiée avant et surtout après le terrible incendie qui ravagea la cité en 1720.

L'Hôtel de Ville XVIIIe siècle.

La place de la Mairie s'encadre de deux édifices complémentaires bien que d'époques différentes. Élevé sous Louis XV par Jacques Gabriel, l'Hôtel de Ville laisse jaillir en son centre une tour d'horloge coiffée d'un gracieux campanile à l'italienne. Il fallut attendre près d'un siècle pour que le théâtre, bel exemple de style néo-palladien, vienne compléter l'ordonnance de la place.

Monument emblématique de la Bretagne royale, le Parlement de Bretagne, aujourd'hui Palais de Justice, déploie la noble symétrie de sa façade conçue sous Louis XIII par Salomon de Brosse. L'intérieur illustre comme rarement en France les réussites décoratives du règne de Louis XIV.

Ci-dessous, le palais du Parlement de Bretagne et la place Royale. Gravement endommagé en 1994 par le feu et l'eau, le Parlement de Bretagne a retrouvé sa splendeur. Les plafonds à caissons (XVIIe siècle) de la salle des Pas Perdus et de la Grand'Chambre émerveillent de nouveau par la magnificence de leurs peintures et dorures.

Le théâtre et les arcades de Millardet.

Le plafond de la salle du théâtre peint en 1913 par Lemordant est un hymne à la diversité des guises de Bretagne.

Les serres du jardin du Thabor.

Le jardin du Thabor

Après la visite des superbes collections des musées de Bretagne et des Beaux-Arts, rien ne vaut une promenade au jardin du Thabor, dessiné avec brio et sensibilité au XIXe siècle par les célèbres frères Bühler.

La cité judiciaire

Loin de se replier sur son glorieux passé, Rennes ne craint pas la hardiesse architecturale, comme en témoigne la cité judiciaire. Il faut dire que sa vocation universitaire et sa technopole la contraignent à innover sans cesse.

LA ROCHE AUX FÉES

A une trentaine de kilomètres au sud-est de Rennes, sous les ombrages d'une paisible campagne, le dolmen de la Roche-aux-Fées impressionne par ses vestiges, vieux de plus de quatre mille cinq cents ans. Quarante et un blocs de pierre (dont le plus lourd pèse quarante-cinq tonnes !), s'alignent sur dix-neuf mètres cinquante de long, en faisant l'un des mégalithes les plus imposants de Bretagne. On comprend que ce «dolmen angevin à portique» ait suscité bien des légendes. Tout en filant la quenouille, des fées auraient transporté les rochers dans leur toile. En fait, ils proviennent d'une carrière distante de quatre kilomètres.

Les églises rurales des environs, Retiers, Brie, Visseiche, Piré-sur-Seiche, etc, abritent de beaux retables lavallois du XVIIe siècle, en tuffeau et marbre, inspirés du maniérisme italien.

LES PAYS DE LA VILAINE

La pêche au carrelet sur la Vilaine.

La cluse boisée et escarpée de l'île-aux-Pies dans la vallée de l'Oust.

Les paysages de schiste et de granit des cours de la Vilaine et de l'Oust, son affluent, font la joie des amoureux de belle nature. Près des marais qui enfoncent leurs roselières au creux de terroirs discrets, des falaises appelées cluses, comme celle, superbe, de l'île-aux-Pies entre Saint-Vincent-sur-Oust et Bains-sur-Oust, proposent de formidables sites d'escalade. Entre les rives couvertes de pins et de châtaigniers, les pêcheurs, tout à leur solitude, retrouvent les gestes ancestraux.

L'abbaye Saint-Sauveur

Curieusement, deux clochers voisinent : le roman, puissant, trapu, à trois étages d'arcatures, unique en Bretagne ; le gothique, élancé, isolé de l'église depuis un incendie au XVIIIe siècle. À l'intérieur, le contraste est tout aussi saisissant entre une nef romane obscure et un chœur gothique lumineux. Intégré au lycée voisin, le cloître classique ne manque pas d'élégance.

REDON

L'organisation territoriale issue de la Révolution n'a pas gâté le pays de Redon, écartelé entre trois départements et deux régions ! Depuis la fondation, en 832, de son abbaye bénédictine par un conseiller du roi Nominoë, la cité s'est affirmée comme un haut lieu de spiritualité et de conscience bretonne. À la jonction du canal de Nantes à Brest et de la Vilaine, le quartier du port a conservé ses hôtels particuliers d'armateurs des XVIIe et XVIIIe siècles, restaurés avec goût, un ensemble urbain d'une élégante harmonie.

L'hôtel de ville et le clocher de l'église Saint-Sauveur.

Les châtaignes du pays de Redon

Le souvenir du châtaignier, véritable arbre tutélaire du pays de Redon, se perpétue à travers le concours de la Bogue d'Or, ouvert à tous, jeunes et anciens, qui, une fois l'an, fait revivre les chants traditionnels, un trésor de la culture populaire qui retrouve ainsi un nouvel élan.

Le port de plaisance.

BROCÉLIANDE

Les sept mille hectares de la forêt de Paimpont, l'antique Brocéliande, se souviennent encore, au cœur des fourrés et des clairières, des sortilèges et maléfices du cycle arthurien. Fils d'un diable et d'une nonne, Merlin est doué de pouvoirs extraordinaires qu'il met au service du bien. Conseiller de Uther Pendragon et de son fils Arthur, il organise la chevalerie de la Table Ronde et aide les compagnons d'Arthur dans leur quête du Saint Graal. Merlin l'enchanteur n'en est pas moins homme et pour l'amour de Viviane sera éternellement prisonnier de la belle fée qui fut sa disciple. De la fontaine de Barenton à l'église de Tréhorenteuc, du Val sans retour à l'Arbre d'Or, du Pont du Secret au château de Comper, les circuits initiatiques vous font pénétrer au cœur du légendaire breton.

Le tombeau de Merlin

Les vestiges d'un mégalithe, non loin de la fontaine de Jouvence, enferment, dit-on, les restes de l'Enchanteur Merlin. C'est par ruse que la fée Viviane aurait jadis enfermé son amant dans ce tombeau. Elle souhaitait reposer, après sa mort, près de Merlin. Celui-ci la conduisit près d'une fosse dans laquelle il s'allongea. Immédiatement Viviane fit se rabattre sur lui deux énormes pierres. L'Enchanteur Merlin repose depuis ce jour au cœur de Brocéliande, prisonnier de la fée dont il était tombé follement amoureux.

Trécesson *(Morbihan)*

À l'orée de la forêt, la poésie et le mystère se conjuguent à Trécesson. Les tours et les murailles de ce manoir en schiste rouge de la fin du Moyen Âge baignent dans un étang placide. Par-dessus la douve, un pont mène au pittoresque logis porche couronné d'une galerie à mâchicoulis.

Posée avec majesté sur les rives d'un vaste étang cerné par la forêt, l'abbaye de Paimpont est un lieu de prière depuis sa fondation au VIe siècle par le roi Judikaël. Son église gothique abrite des boiseries classiques et un superbe Christ en ivoire. Occupés aujourd'hui par la mairie, le presbytère et une institution sociale, les vastes bâtiments conventuels du XVIIe siècle prolongent le village ancien qui ne manque pas de charme. Loin de la rumeur du monde, la visite de Paimpont est l'assurance d'un bénéfique ressourcement.

L'Arbre d'Or

Arbre doré à la feuille, hommage à l'arbre et aux hommes qui le défendent (installation durable de François Davin - 1991).

Tréhorenteuc *(Morbihan)*

Le cerf blanc entouré de quatre lions est le symbole du Christ entouré des quatre évangélistes. Il est aussi la représentation du dieu gaulois Cernunnos. Il porte ici le collier d'or christique et les lions sont à la fois les gardiens du paradis et les infuseurs de l'Esprit Divin. On rejoint par moments la mythologie préchrétienne. Le cerf est alors la nourriture des populations préhistoriques, divinité qui apporte aussi bien le mal et la souffrance que la richesse et l'opulence.

Le Cerf Blanc de Tréhorenteuc. (Eglise de Tréhorenteuc - Mosaïque du Cerf Blanc réalisée en 1955 par Jean Delpech, d'après un dessin d'Odorico).

Promenade au cœur de la forêt.

Sous des dehors modestes, le Morbihan collectionne les premiers prix : Carnac, capitale de la préhistoire ; Belle-Île, reine des îles ; Sainte-Anne d'Auray, mère des pardons bretons ; La Trinité-sur-Mer, meilleur stade nautique ; le Golfe, plus belle des mers intérieures ; Quiberon, Mecque de la thalassothérapie. Quand on met le cap sur l'intérieur, apparaissent des forteresses altières, des chapelles aux riches dentelures, une architecture rurale soignée, des cours d'eau qui appellent à la flânerie. Partagé entre l'ouest bretonnant et l'est gallo, tiraillé entre Lorient la neuve, la maritime, et Vannes l'épiscopale, la séculaire, le Morbihan porta longtemps les plaies ouvertes par la chouannerie. Il est désormais réconcilié avec lui-même.

PORT-LOUIS

A l'embouchure du Blavet, les échauguettes de la citadelle de Port-Louis surveillent le large et la rade de Lorient. Venues en 1590 prêter main-forte au duc de Mercoeur, le gouverneur ligueur de la Bretagne opposé à Henri IV, les troupes espagnoles de Don Juan del Aguila construisent la forteresse en huit ans. Richelieu achève le travail et Blavet devient Port-Louis en l'honneur de Louis XIII. En 1664, consécration pour la place-forte : elle accueille le siège de la Compagnie des Indes ; les hôtels des directeurs et grands commis élèvent leurs austères façades le long de rues tracées au cordeau.

La Citadelle - Visite des remparts et des fortifications.

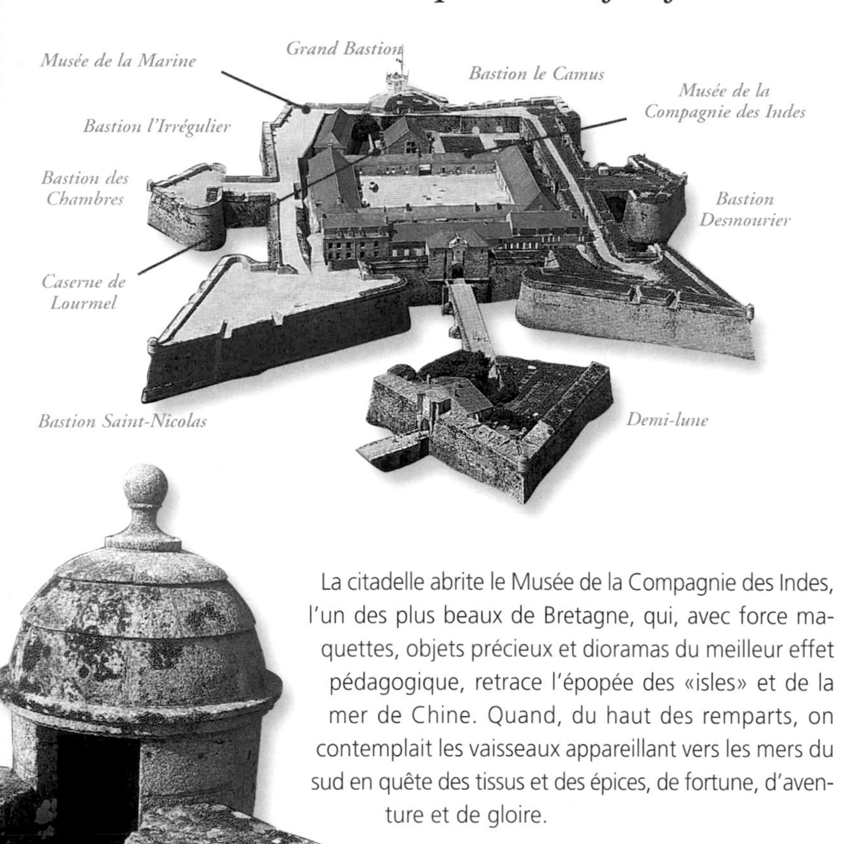

La citadelle abrite le Musée de la Compagnie des Indes, l'un des plus beaux de Bretagne, qui, avec force maquettes, objets précieux et dioramas du meilleur effet pédagogique, retrace l'épopée des «isles» et de la mer de Chine. Quand, du haut des remparts, on contemplait les vaisseaux appareillant vers les mers du sud en quête des tissus et des épices, de fortune, d'aventure et de gloire.

RIANTEC

Au bord de l'eau elle aussi, l'église Sainte-Radegonde de Riantec, bien que construite en néo-gothique en 1927, ne manque pas d'intérêt avec ses mosaïques Arts déco et ses vitraux aux couleurs chatoyantes.

LA PRESQU'ÎLE DE GÂVRES

Le long d'un quai, un alignement de maisons de pêcheurs, blanches et basses, certaines couvertes de tuiles : à l'extrémité de sa presqu'île, Gâvres a quelque chose de méridional. Dans son église néo-romane de la fin du XIXe siècle, les maquettes de trois-mâts offerts en ex-voto rappellent son ancienne activité maritime. À la pointe, la vue se déploie sur le littoral de Larmor-Plage, l'île de Groix et par beau temps, la côte sauvage de la presqu'île de Quiberon.

LORIENT

La Cité de la Voile Éric Tabarly ouvre grandes les portes vivifiantes de l'aventure océanique à travers la course au large et ses héros, les skippers.

En 1666, une ordonnance royale et la volonté de Colbert décident la création de chantiers de constructions navales entre le ruisseau du Faouëdic et le Scorff. Dans un paysage de landes, l'Orient (le nom d'un vaisseau) commence son existence sous les auspices de la Compagnie des Indes.

Après les lourdes destructions de la dernière guerre, Lorient s'affirme comme port de guerre, de commerce, de pêche et de plaisance. Deuxième port de France après Boulogne, sa flottille se livre à toutes les catégories de pêche, en particulier au chalutage industriel sur les bancs de l'Atlantique nord.

L'activité à terre se concentre au port de Kéroman, dont les quais, le slipway, les halles et les magasins de marée s'animent surtout la nuit.

La maison de la Mer et le port de plaisance.

LARMOR-PLAGE

Dans une agréable situation à l'entrée de la baie, Larmor-Plage, la station balnéaire des Lorientais, aligne ses villas le long d'un front de mer découpé.

Notre-Dame de la Clarté

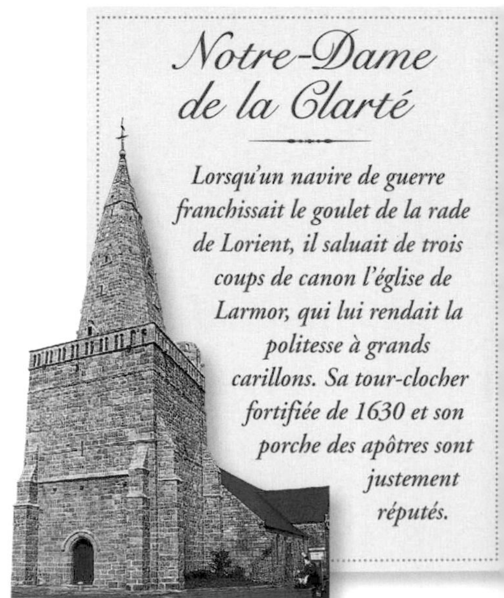

Lorsqu'un navire de guerre franchissait le goulet de la rade de Lorient, il saluait de trois coups de canon l'église de Larmor, qui lui rendait la politesse à grands carillons. Sa tour-clocher fortifiée de 1630 et son porche des apôtres sont justement réputés.

Construit en 1748, déclassé en 1855, le Fort Bloqué avait pour mission d'empêcher un débarquement anglais.

Les pittoresques petits ports de pêche de la route côtière, Lomener, Le Pérello, Kerroc'h, Le Courégan, se consacrent aux crustacés, crabes et homards. Plus loin, les batteries de l'îlot du Fort Bloqué contrôlent depuis 1748 une portion assez rectiligne du littoral et les immenses plages de Guidel.

Encadrées par de belles falaises, les vastes plages de Guidel sont appréciées par les Lorientais... et les autres.

Festival Interceltique de Lorient

La Celtie dans tous ses états musicaux : le festival de Lorient rassemble au mois d'août des milliers de sonneurs, chanteurs et danseurs d'Écosse, Cornwall, Pays de Galles, Irlande... et Bretagne. La Fête !

HENNEBONT

Puissant élan de pierre, festonné de pinacles, la basilique Notre-Dame-du-Paradis fut construite au début du XVIe siècle à l'initiative d'un maréchal-ferrant. Autour de la porte médiévale de Bro-Erec'h, flanquée de deux tours jumelles, rôde le souvenir de la femme de Jean de Montfort, Jehanne de Flandres, l'intrépide défenseur de la cité durant la Guerre de Succession de Bretagne, connue désormais sous le nom de Jehanne la Flamme. Depuis 1857, les haras d'Hennebont, qui participent à la sélection des futurs étalons de race bretonne, sont installés dans l'ancienne abbaye Notre-Dame-de-la-Joie.

L'ÎLE DE GROIX

Difficile de faire abstraction de la gloire passée de l'île de Groix. Au début du siècle, premier port français d'armement thonier, elle armait près de deux cents dundees au gréement majestueux. Un écomusée en retrace l'épopée, et n'oublie pas les femmes, qui se partageaient entre le travail de la terre et les conserveries. Si les campagnes au germon ont vécu, si les Groisillons ont émigré vers le port de Keroman à Lorient, l'île préserve jalousement son identité. Au pied de ses falaises, comme au Trou de l'Enfer, grondent des tourbillons nerveux.

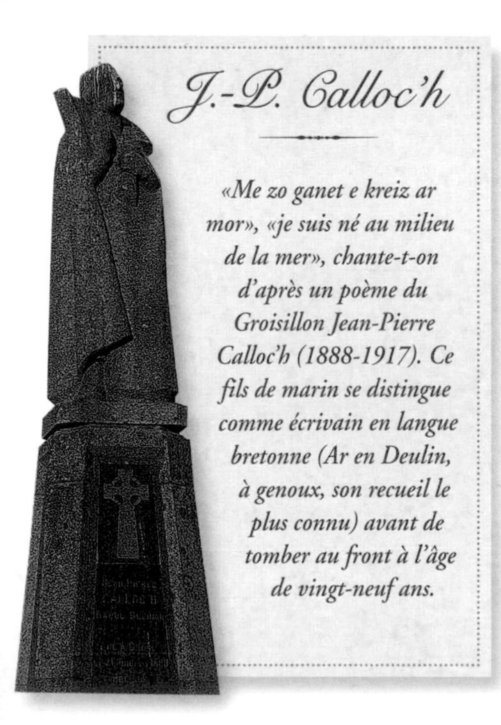

J.-P. Calloc'h

«Me zo ganet e kreiz ar mor», «je suis né au milieu de la mer», chante-t-on d'après un poème du Groisillon Jean-Pierre Calloc'h (1888-1917). Ce fils de marin se distingue comme écrivain en langue bretonne (Ar en Deulin, à genoux, son recueil le plus connu) avant de tomber au front à l'âge de vingt-neuf ans.

Une réserve naturelle protège d'étonnantes richesses minéralogiques. À Port-Tudy, l'animation est désormais assurée par des pinasses de pêche côtière et des petits chalutiers. Au gré des petites routes de l'île, on découvre de nombreuses constructions liées à la mer : phares, anciennes conserveries, môles, parc à poissons, station de sauvetage…, autant de témoins des étroites épousailles des hommes et de l'océan.

Un vieux gréement entre à Port-Tudy, joliment signalé par les deux feux symétriques de ses môles.

Île de Houat.

Île d'Hœdic.

Le fort d'Hœdic, construit sous Louis XV pour résister aux Anglais. Ci-dessous, construit en 1818, Port Collet, un abri pour les bateaux houatais.

L'ÎLE DE HOUAT ET L'ÎLE D'HŒDIC

les «sœurs océanes»

Houat et Hoëdic, grande et petite en vieux celtique, canard et caneton selon une étymologie plus fantaisiste mais bien ancrée, fleurs précieuses de nos prairies de la mer.

Dans le prolongement de la presqu'île de Quiberon et de la chaussée du Béniguet, deux virgules de lande rase, aux maisons basses repliées les unes sur les autres, aux murets de pierres sèches et aux falaises et plages en arc de cercle. À peine plus de cinq cents habitants à elles deux.

Houat, domaine de la sterne et de l'immortelle jaune, assoit son avenir sur la pêche à la crevette et une écloserie de crustacés. Après avoir, au cours des siècles, subi plusieurs occupations étrangères, anglo-saxonnes notamment — le nombre de forts qui jalonnent le pourtour des deux îles en témoigne avec éloquence ! — Houat et Hoëdic ont à cœur de ne pas perdre leur âme du fait du flux touristique.

Le Conservatoire du littoral protège côtes et marais, veille sur le lys de mer, l'œillet sauvage et les tamaris. Il importe de perpétuer un art de vivre porteur de valeurs pour les générations à venir.

BELLE-ÎLE-EN-MER

La plus belle assurément. Si précieuse qu'elle fut un enjeu âprement disputé entre plusieurs abbayes bretonnes ; et que, devenu marquis de Belle-Île, le célèbre surintendant Fouquet avait, peu avant sa disgrâce, conçu pour son domaine insulaire les projets les plus ambitieux. Les Anglais l'occupèrent, mais moins souvent qu'ils n'y mirent le siège. Chassés d'Amérique au milieu du XVIIIe siècle, les Acadiens y trouvèrent refuge et y ont encore des descendants. Au faîte de sa gloire, Sarah Bernhardt en tomba amoureuse et y aménagea un fort.

Le Palais. L'arrière-port et les quais dominés par l'église du Christ-Roi.

La pointe des Poulains.

Les aiguilles de Port-Coton.

On voudrait tout chanter : le rempart des falaises taillées à vif, les vallons flamboyants du jaune des ge-êts qui dégringolent par paliers jusqu'à une anse solitaire, la grotte de l'Apothicairerie où la mer s'engouffre vec fracas, les longères des maisons blanchies à la chaux, le charme oriental de l'église de Locmaria, le port u Palais et sa ria sous haute surveillance, ces mille et une merveilles de la plus grande des îles bretonnes.

Si la citadelle du Palais évoque l'art de Vauban, le petit port de Sauzon et ses mai-ons crépies en jaune, rose ou ocre, font plutôt penser à une île des Cyclades.

L'église de Locmaria.

Donnant

Goulphar

Pointe du Grand Guet

Bangor

Pointe du Skeul

Locmaria

Pointe d'Arzic

Port An Dro

Belle-Ile est la plus vaste des îles bretonnes, longue de 17 km, large de 5 à 9 km. Elle s'allonge parallèle au continent, à 30 km en mer. Deux ports : Le Palais et Sauzon accueillent les différents bateaux qui débarquent, chaque été, les visiteurs d'un jour à la découverte de «l'île la bien-nommée».

Pointe de Kerdonis

Pointe des Poulains

Sauzon

Le Palais

Belle Fontaine

Port Yorc'k

Les Grands Sables

Ci-dessous, le port de Sauzon et le port du Palais.

QUIBERON

Sur un territoire exigu, Bretagne en miniature, une presqu'île à deux facettes. Quiberon, c'est d'abord l'atmosphère insouciante, bigarrée, parfois bon chic marin, d'une immense station balnéaire, avec son cortège de plages bordées d'immeubles collectifs et de villas, de ports de plaisance toujours pleins, sa vie nocturne et ses fêtes.

C'est aussi une École nationale de voile très performante et un Institut de thalassothérapie fondé par le champion cycliste Louison Bobet. Sur l'un des stade nautiques les plus appréciés de l'Atlantique, les régates et compé titions de tous niveaux se succèdent d'avril à novembre.

Et puis, à deux pas, face à l'occident, de Beg an Aud à Be er Lan, la Côte Sauvage, les falaises déchiquetées, le déchaînemen des éléments marins, les rouleaux qui se brisent dans un énorme fra cas. Une vision par moments dantesque, en tout cas roborative, d l'éternel combat de l'océan et du plancher des vaches.

Bas-relief en céramique décorant la façade des «Viviers Quiberonnais».

La pointe du Percho.

L'arche de Port-Blanc.

Port-Maria.

Le phare de Port-Haliguen.

La forteresse de PENTHIÈVRE

Posté en sentinelle à l'entrée de la presqu'île, le fort de Penthièvre fut construit en 1747 après un débarquement dévastateur des Anglais. Il entre dans l'histoire en juillet 1795. Assiégés par le général Hoche et ses troupes républicaines, les royalistes, fraîchement débarqués, qui s'y étaient retranchés, capitulent. Malgré les promesses de clémence, plus de sept cents nobles seront passés par les armes.

Le phare de Port-Maria.

Fort de deux havres complémentaires, Port-Haliguen et Port-Maria, et d'une douzaine de conserveries, Quiberon fut après la Libération le premier port sardinier de France. La pêche se réduit désormais aux canots, un ou deux hommes à bord, qui ramènent le poisson fin, bar, dorade, congre, crustacés — et la coquille Saint-Jacques en hiver.

Abritée par les pins, la plage de Saint-Pierre-Quiberon.

La grande plage de Port-Maria.

Le château de Turpault

Cet étrange édifice fut construit en 1904 par un filateur de Cholet, Georges Turpault. Celui-ci a laissé son nom à la bouée sonore de Quiberon. Les jours de grand vent, on dit : «C'est la vache à Turpault qui meugle».

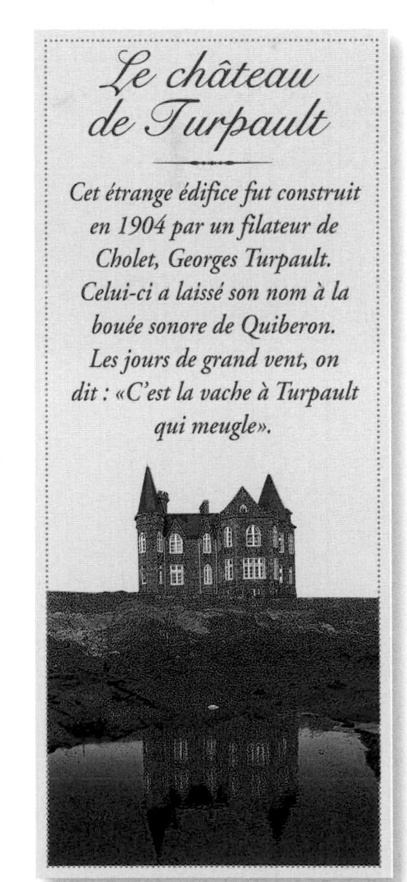

LA TRINITÉ-SUR-MER

Avec plus de mille places, La Trinité-sur-Mer est avec Le Crouesty le grand port de plaisance du Morbihan, et à coup sûr le plus cher dans le cœur des marins. Depuis qu'Eric Tabarly (1931-1998) a offert ses lettres de noblesse à la station en remportant, en 1964, sa première course transatlantique en solitaire, La Trinité est devenu le rendez-vous favori des skippers.

Lumière chaude sur l'ancien port de pêche.

Le pont de Kerispert et le port de plaisance sur la rivière de Crac'h.

Les multicoques ont trouvé à La Trinité-sur-Mer une capitale à leur mesure.

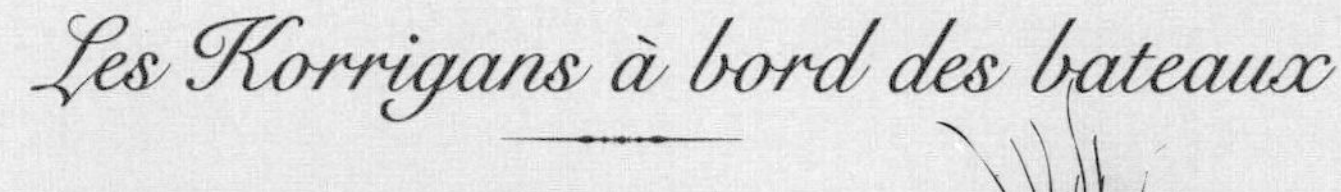

Ils sont tout petits, noirs, d'une grande agilité.
Ils agissent sournoisement à bord.
Ce sont eux qui défont les manœuvres,
abattent les voiles brusquement,
se jettent sur les marins et leur tirent
les oreilles pour leur faire avaler leur
chique. Parfois cependant, quand
le bateau est propre, ils savent lire
le compas et réveiller l'homme
de barre qui s'endort.

Cette animation fait oublier que La Trinité eut naguère une triple activité, aujourd'hui disparue (à part quelques côtiers), de pêche, commerce maritime et salines. Du haut du pont de Kerispert, reconstruit en 1958, la vue est superbe sur la forêt des mâts et les parcs ostréicoles de la rivière de Crac'h. De mai à septembre, les rassemblements nautiques s'y succèdent, courses, trophées, régates, fête des vieux gréements.

La plage de Kervillen.

Immortalisé par Éric Tabarly, le Pen Duick fut conçu en 1898 par l'architecte William Fife.

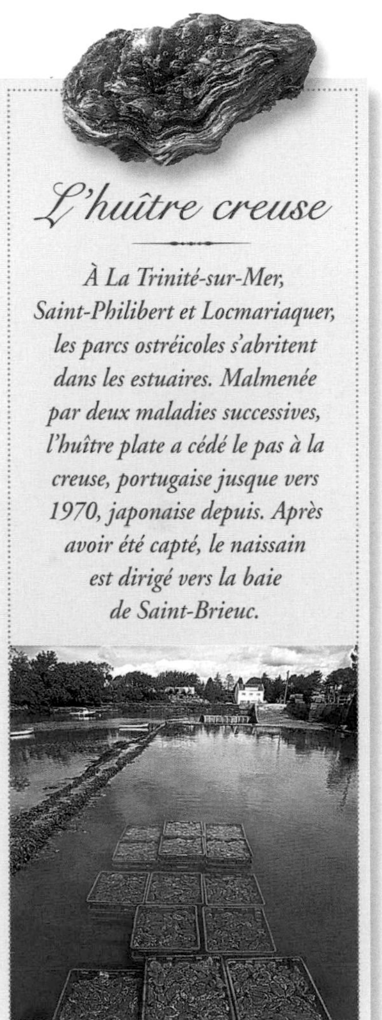

L'huître creuse

À La Trinité-sur-Mer, Saint-Philibert et Locmariaquer, les parcs ostréicoles s'abritent dans les estuaires. Malmenée par deux maladies successives, l'huître plate a cédé le pas à la creuse, portugaise jusque vers 1970, japonaise depuis. Après avoir été capté, le naissain est dirigé vers la baie de Saint-Brieuc.

Au bord de la rivière, l'église paroissiale et la fontaine.

SAINT-PHILIBERT

Pareillement étalé le long d'un petit estuaire, le village de Saint-Philibert, autrefois simple quartier de Locmariaquer, a bâti sa réputation sur l'huître plate. D'une architecture toute simple, mais située dans un joli site au-dessus de la rivière, l'église, qu'avoisine la Fontaine aux Bêtes, abrite un grand retable classique. Au fil des chemins côtiers, on découvre le moulin à marée de Kerlioret, le phare (1856) et le fort (1885) de Kernevest, l'étang de Kercadoret, désormais réserve naturelle.

CARNAC

Le nom de Carnac n'a pas fini de faire rêver. Car ses quatre mille menhirs, ses dolmens, ses tertres et ses tumulus n'ont livré qu'une parcelle de leur mystère. Ces pierres dressées du Néolithique, entre 5 000 et 2 000 avant l'ère chrétienne, ont suscité bien des théories, des plus prudentes aux plus farfelues.

Les dolmens, on le sait, abritaient des sépultures de notables et de chefs. Mais l'érosion des siècles a modifié leur aspect initial. Les grandes dalles plates de support ou de couverture ne sont que le squelette d'une construction close, complétée par une maçonnerie en pierre sèche et renforcée par un massif de terre ou de pierrailles.

Les alignements mégalithiques du Ménec.

Déploiement de menhirs sur 1,2 km à Kermario.

L'imposante chambre mégalithique de Crucuno.

Par contre, la finalité exacte des alignements de menhirs du Ménec, Kerlescan et Kermario résistera encore longtemps, sans doute, au dévoilement. Observatoires astronomiques, lieux de culte aux éléments primordiaux ? Peut-être. En attendant que la lumière se fasse, il importait de sauvegarder les sites mégalithiques maltraités par une trop importante fréquentation touristique. D'ambitieuses mesures de conservation et de restauration des alignements sont en cours ; alors que les fouilles se poursuivent, rénovant notamment la connaissance du rituel funéraire de ces fascinantes populations du néolithique.

La chapelle et le tumulus Saint-Michel.

Saint Cornély

Saint Cornély est une appellation bretonne de saint Corneille, pape romain de l'an 251. Cornély, par jeu de mots avec cornes, est devenu le patron des vaches et des taureaux. Jusqu'à la dernière guerre, les animaux enrubannés de multiples couleurs étaient amenés à la fontaine et copieusement arrosés d'eau. On offrait au saint une touffe de poils arrachés de leur queue, ce qui assurait aux bêtes une protection pour l'année entière.

Idéalement située au fond de la baie de Quiberon, Carnac-Plage s'est affirmée comme l'une des grandes stations balnéaires du Morbihan. Si la Grande Plage vous paraît trop fréquentée, vous pouvez opter pour celle, plus familiale, de Saint-Colomban.

Le centre nautique de la plage.

La plage de Saint-Colomban.

AURAY

Au bas de la butte d'Auray, le port de Saint-Goustan marie souvenirs historiques et pittoresque. Un vieux pont de pierre enjambe le Loc'h à l'endroit où la marée perd de sa vigueur et donne accès à une placette de pavés bosselés, encadrée de toits aigus et de façades à encorbellement. Des ruelles escarpées gravissent le coteau, suite de maisons à colombages restaurés avec soin, et gagnent l'ancienne église Saint-Sauveur. Autrefois le port de cabotage se peuplait de sloops et de chasse-marée. Le 4 décembre 1776, un illustre visiteur y débarqua du Reprisal : Benjamin Franklin venait solliciter de Louis XVI une aide militaire pour bouter les Anglais hors d'Amérique.

Le port de Saint-Goustan et son vieux pont du XVe siècle.

La chapelle Saint-Avoye (1554-1650)

Cette chapelle de Pluneret, construite d'un seul jet au milieu du XVIe siècle, renferme un jubé Renaissance d'une rare élégance. Le groupe du calvaire couronne la tribune où, côté nef, les statues des douze apôtres occupent les niches, rythmées par des pilastres.

LOCMARIAQUER

À Locmariaquer le mégalithe fait dans le monumental. Les géants du néolithique s'y côtoient, parfois foudroyés comme le Grand Menhir, vingt mètres de haut, trois cent cinquante tonnes, avant la chute. Le dolmen de la Table des Marchand s'orne, au fond, d'une dalle ogivale façonnée en forme d'idole où quatre rangées de crosses dessinent d'élégantes arabesques.

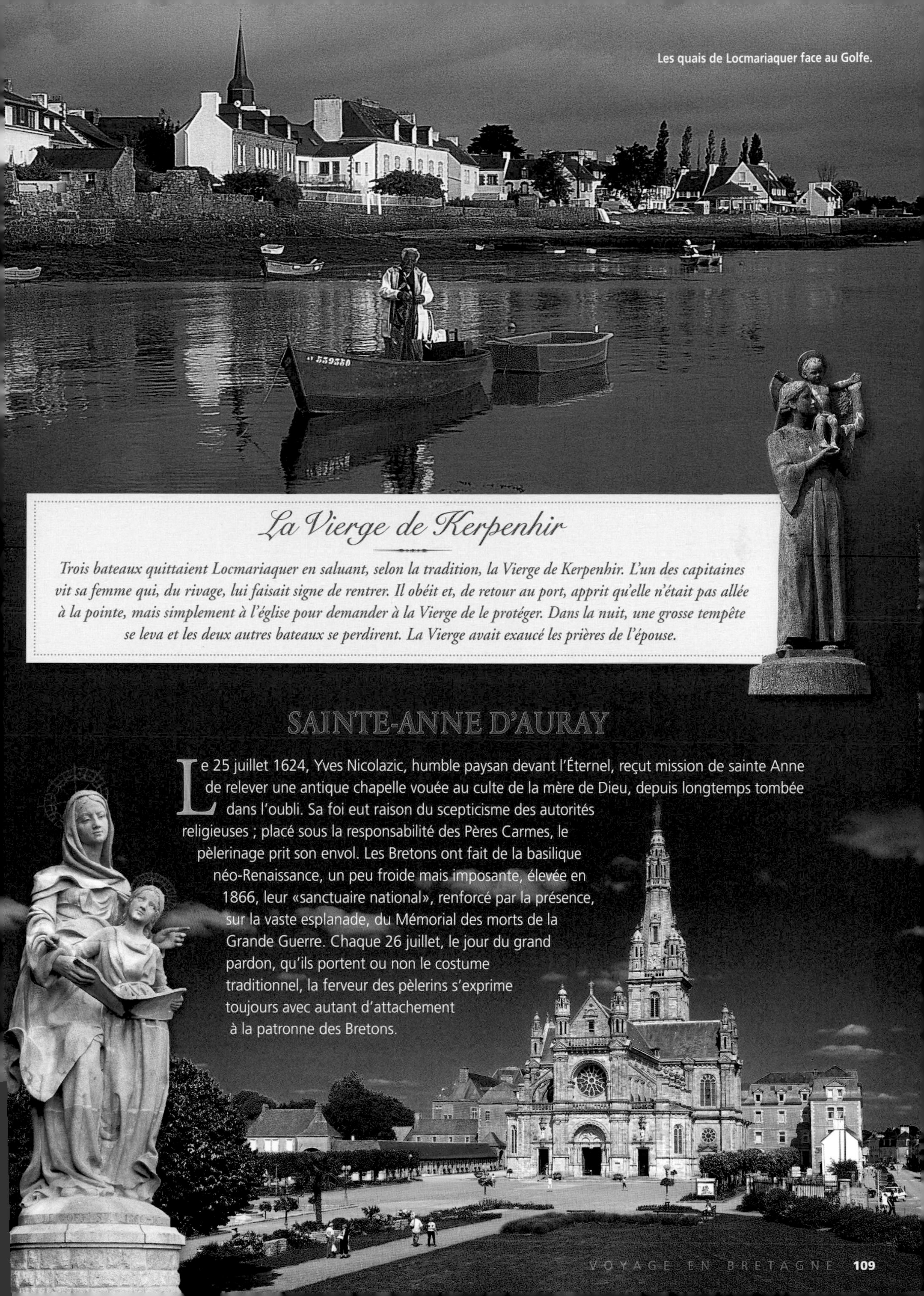

Les quais de Locmariaquer face au Golfe.

La Vierge de Kerpenhir

Trois bateaux quittaient Locmariaquer en saluant, selon la tradition, la Vierge de Kerpenhir. L'un des capitaines vit sa femme qui, du rivage, lui faisait signe de rentrer. Il obéit et, de retour au port, apprit qu'elle n'était pas allée à la pointe, mais simplement à l'église pour demander à la Vierge de le protéger. Dans la nuit, une grosse tempête se leva et les deux autres bateaux se perdirent. La Vierge avait exaucé les prières de l'épouse.

SAINTE-ANNE D'AURAY

Le 25 juillet 1624, Yves Nicolazic, humble paysan devant l'Éternel, reçut mission de sainte Anne de relever une antique chapelle vouée au culte de la mère de Dieu, depuis longtemps tombée dans l'oubli. Sa foi eut raison du scepticisme des autorités religieuses ; placé sous la responsabilité des Pères Carmes, le pèlerinage prit son envol. Les Bretons ont fait de la basilique néo-Renaissance, un peu froide mais imposante, élevée en 1866, leur «sanctuaire national», renforcé par la présence, sur la vaste esplanade, du Mémorial des morts de la Grande Guerre. Chaque 26 juillet, le jour du grand pardon, qu'ils portent ou non le costume traditionnel, la ferveur des pèlerins s'exprime toujours avec autant d'attachement à la patronne des Bretons.

ÉTEL

Sur les quais d'Étel, au milieu des casiers et des senteurs âcres, palpite encore quelque chose de la grande tradition de pêche thonière (jusqu'à cent quarante unités), désormais remplacée par une pêche plus diversifiée. Sa trop fameuse barre, un banc de sable en perpétuel mouvement, fit nombre de victimes. On se souvient du drame de 1958 quand le canot de sauvetage se renversa en portant secours au docteur Bombard.

En amont, la rivière s'évase en un estuaire intérieur, piqueté d'îles, sillonné de chenaux au tracé capricieux. Elle s'enfonce dans des campagnes secrètes, au charme subtil, où les cultures se frangent de goémon et où les passereaux et les limicoles, ces petits échassiers des vasières, se partagent les mêmes herbiers.

Quel contraste avec les immenses plages d'Erdeven et ses dunes parmi les mieux conservées de la Bretagne sud !

La plage de Kerhillio à Erdeven.

Pont-Lorois

Il a connu bien des vicissitudes le pont Lorois qui franchit la rivière d'Etel entre Belz et Plouhinec. Construit par le préfet Lorois en 1841 — et inauguré sans bénédiction, au grand dam des catholiques — un premier ouvrage se disloque en 1894 au cours d'une violente tempête. Le remplaçant est détruit par les Alliés en novembre 1944. Le pont actuel, à tablier métallique, est inauguré en 1956. En son milieu, la vue se déploie sur la rivière, ses chenaux et ses parcs ostréicoles.

SAINT-CADO

Sur un îlot de la rivière d'Étel, rassemblé au pied d'un vieux sanctuaire, le hameau ostréicole de Saint-Cado compose l'un des sites les plus séduisants de littoral morbihannais. Le village doit son origine au moine qui, chassé de son Pays de Galles natal par l'invasion saxonne, vint y établir un ermitage en 525. Gagnée sur la vasière, une chaussée incurvée mène à l'îlot. Sur le tertre gazonné, l'humble chapelle romane, agrandie au XVIe siècle, renferme le «lit de saint Cado», curieux monument de pierre réputé guérir de la surdité.

La légende de Saint-Cado

Saint Cado vivait en ermite sur un îlot de la rivière d'Étel. Lorsqu'il fut nécessaire de construire une digue, le Diable proposa au saint de la réaliser en une nuit en échange de l'âme du premier être vivant qui y passerait. Le lendemain matin Satan reçut, pour tout salaire... un chat noir que saint Cado avait jeté sur la route ! Ainsi fut berné «monsieur de Kersatan».

PLOUHINEC : *Le Vieux Passage*

Entre Étel et Pont-Lorois, le charmant petit port du Vieux Passage — qui dépend de Plouhinec — s'abrite dans une anse de la rive droite de la rivière d'Étel. C'est le genre de havre discret, bordé d'anciennes maisons de pêcheurs reconverties en agréables résidences, apprécié des plaisanciers et des retraités.

BAUD

Le jour du pardon de Notre-Dame de la Clarté, les pèlerins se lavent les yeux avec l'eau de la fontaine, un charmant édicule du XVIe siècle, pour se guérir ou se préserver de la cécité. Les origines de la statue de Quinipily, haute de deux mètres vingt, sont nettement moins catholiques. Divinité romaine, égyptienne, celte ? Depuis le XVIIIe siècle, elle trône au sommet d'une fontaine monumentale.

PONT-SCORFF

Puissants seigneurs de Pont-Scorff sous l'Ancien Régime, les princes de Rohan-Guéméné y ont édifié un magnifique hôtel Renaissance aux lucarnes ouvragées. Un peu en amont, le moulin du Leslé occupe un délicieux site de la vallée du Scorff. On y broyait l'écorce des chênes et des châtaigniers pour fabriquer le tan employé pour le tannage des cuirs.

C'est au XVIIIe siècle qu'un Alsacien construit sur le Scorff le moulin à tan du Leslé.

KERNASCLÉDEN

La magnificence de Notre-Dame de Kernascléden, chef-d'œuvre du gothique flamboyant, témoigne du mécénat des ducs de Bretagne et des Rohan au XVe siècle. À l'intérieur, les fresques déroulent une danse macabre et détaillent les supplices de l'Enfer. Mais la grâce des anges musiciens prévient que même au Moyen Âge l'enseignement chrétien ne se réduisait pas à la peur de l'au-delà.

GOURIN

Édifice classique des XVIIIe et XIXe siècles, le château de Tronjoly accueille des expositions.

PLOUAY

Le château de Ménéhouarn et sa chapelle domestique, dédiée à Notre-Dame de Sion, ont été édifiés au XVIIIe siècle par la famille de Pluvié.

Les halles du XVIe siècle.

LE FAOUËT

Subtile et solide architecture de poutres et de solives, les halles du Faouët, du XVIe siècle, sont les plus belles de Bretagne. Cette énorme carène de navire renversée, coiffée d'un clocheton octogonal, témoigne de l'importance des marchés et foires qui s'y tenaient. L'ancien couvent des Ursulines, désormais Musée de peinture, met à l'honneur les artistes qui depuis un siècle ont puisé leur inspiration dans la région.

Un joyau du gothique (1489-1512) à l'étroit sur une étroite plate-forme en surplomb d'un ravin broussailleux : la chapelle Sainte-Barbe occupe le site religieux le plus original de Bretagne. De majestueux escaliers à balustres construits vers 1700 donnent au sanctuaire un décor théâtral pour le moins surprenant. Les vitraux et la tribune seigneuriale aux délicats anges musiciens témoignent d'un raffinement inattendu en ces confins de la Cornouaille.

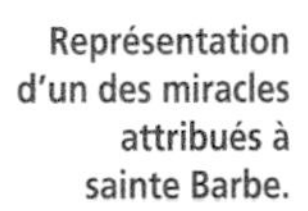

Représentation d'un des miracles attribués à sainte Barbe.

La chapelle Sainte-Barbe

Le jubé de Saint-Fiacre

Un pur chef-d'œuvre de la fin du XVe siècle. Le talent du sculpteur, Olivier Le Loergan, lui avait valu d'être anobli par le duc François II. Sur la tribune, le sacré voisine avec le grotesque. Poules et marmousets, amoureux en goguette et ivrognes, côtoient la Vierge et les saints au cœur d'une dentelle de bois qui régale les yeux. Et nous parle d'une religion populaire où les références au dogme faisaient bon ménage avec la truculence des fidèles.

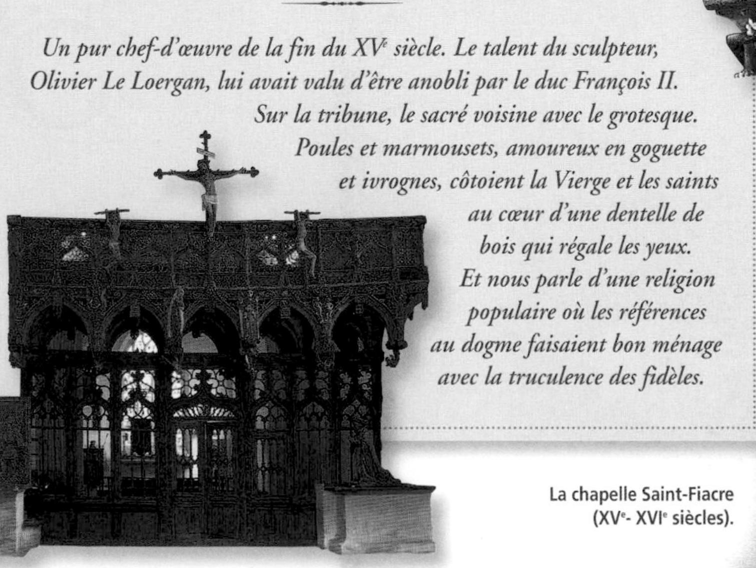

La chapelle Saint-Fiacre (XVe- XVIe siècles).

Les vieux lavoirs et les remparts de Vannes.

VANNES

Vannes a l'ancienneté fière. Peu de villes bretonnes ont su mettre autant en valeur les nombreux témoins de leur histoire millénaire. Tour à tour capitale de tribu gauloise, cité gallo-romaine, siège d'un évêché, capitale de Nominoë, premier roi des Bretons, ville-témoin de l'union, en 1532, de la Bretagne et de la France, refuge, en 1675, du parlement de Bretagne en exil, préfecture, Vannes a accumulé les titres autant que les vestiges. Deux musées récapitulent ce passé glorieux, le musée archéologique et, installé dans les halles médiévales, le musée de la Cohue.

Le port de plaisance lors de la Fête du Golfe.

Coiffes et costumes

La coiffe de Vannes a beaucoup perdu de son ampleur. Repliée au-dessus du front, elle semble délicatement posée, prête, à tout moment, à s'envoler.

Vieilles maisons à colombages.

La fête médiévale

Chaque mi-juillet, Vannes met en scène, avec force personnages costumés et tournois chevaleresques, son illustre passé médiéval.

Les jardins devant le château de l'Hermine.

La porte Saint-Vincent construite en 1704, surmontée d'une statue de St Vincent Ferrier.

Plus bas, au débouché sur le port, la porte Saint-Vincent fait preuve d'un élégant classicisme. La ligne orientale des remparts, dont les courtines forment un puissant écrin à la tour du Connétable, baigne dans un superbe jardin à la française.

Dans un espace restreint, les logis à pans de bois (délicieuse place Henri IV), voisinent avec les demeures plus sobres des chanoines et des parlementaires, et la Porte Prison, du XIVe siècle.

La cathédrale et la place Henri IV.

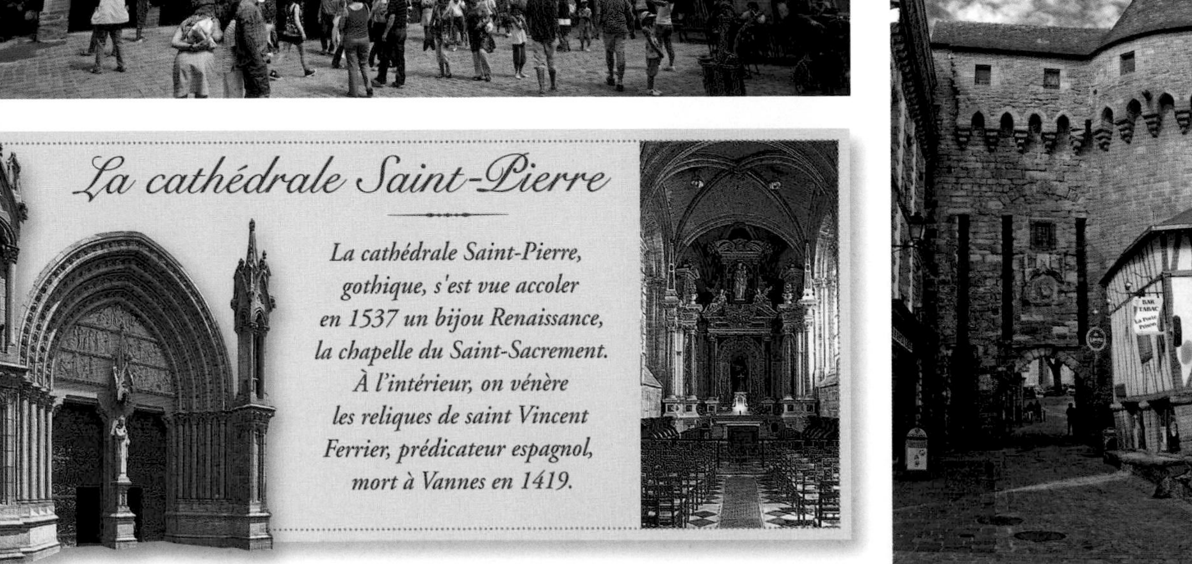

La cathédrale Saint-Pierre

La cathédrale Saint-Pierre, gothique, s'est vue accoler en 1537 un bijou Renaissance, la chapelle du Saint-Sacrement. À l'intérieur, on vénère les reliques de saint Vincent Ferrier, prédicateur espagnol, mort à Vannes en 1419.

LE GOLFE DU MORBIHAN

Arradon, le petit port de Pen-er-Men à marée basse.

L'océan apprivoisé. Lac marin au semis d'îles, mer miniature à la douceur tonique, au calme trompeur. Le golfe se recueille dans le dédale de ses anses, mais les courants y sont d'une agressivité rare.

Le port de Conleau.

Séné - Port-Anna, en route pour l'île d'Arz.

Si la pêche résiste dans la partie occidentale, à l'opposé, les vasières sont le refuge de milliers d'oiseaux marins. Partout, des mégalithes balisent une contrée envahie par les eaux après leur érection. Royaume de l'inattendu, de l'inépuisable renouvellement du spectacle de la nature.

Gavrinis

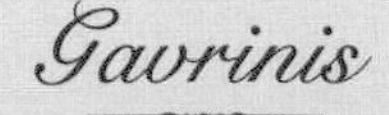

L'île de Gavrinis renferme, chef-d'œuvre de l'art mégalithique, un cairn ou grand dolmen à couloir datant du quatrième millénaire avant notre ère. Ses dalles-supports sont ornées de motifs géométriques sculptés. Les spirales et cercles concentriques renvoient-ils à des représentations de la fertilité ou d'idoles primitives ?

Le cromlec'h d'Er Lannic

Il faut remonter à environ 5000 ans pour voir la première occupation du site d'Er Lannic. On y a découvert des centaines de tessons de poterie, de silex, de fragments de haches polies, de meules et de molettes. On y a surtout édifié deux cercles de menhirs tangents dont l'un est en grande partie immergé sous les eaux du golfe du Morbihan, l'autre en totalité. Ce phénomène est dû à la lente remontée des eaux depuis la fin de la dernière glaciation.

Là où le tourisme pavillonnaire n'a pas pris possession du rivage, la prai-
rie descend jusqu'à la grève, la vasière se mue insensiblement en marais. Brannec, Illuric, Stibiden, Creizic, Ilur... : les îlots ont parfois des noms surgis d'une Celtie à l'état brut.

L'île Govihan, puis l'île Brannec, puis l'île aux Moines (dans sa partie méridionale), puis, à droite, l'île Creizic : on dirait une comptine marine.

Le moulin de Pomper sur la route de Vannes à Larmor-Baden

Larmor-Baden, calme plat dans la douceur du soir.

L'ÎLE AUX MOINES

Longue de six kilomètres, la plus grande île du golfe respire le bonheur. Dans ce petit paradis mi-campagnard mi-maritime, tout semble accueillir le visiteur avec douceur et bienveillance : le bourg et ses harmonieuses maisons de capitaines, la flore méditerranéenne des mimosas et des figuiers, les chemins creux débouchant sur une crique oubliée, les frondaisons qui absorbent les villas, et jusqu'au paisible cimetière marin. Et partout, ces perspectives, jamais les mêmes, sur le golfe. Si les chasse-marée ont disparu, de même que l'élégante coiffe des îliennes, dont la beauté était célèbre, la grâce apaisée et lumineuse de l'île n'en finit pas de séduire.

À l'extrémité nord de l'île, la pointe du Trec'h fait face au littoral d'Arradon.

Au pied des villas début du XXᵉ siècle, les bateaux de plaisance trouvent dans l'anse du Lério un abri naturel.

L'ÎLE D'ARZ

L'île d'Arz se livre avec davantage de retenue que sa voisine. Hardis et redoutés, ses marins au long cours et au cabotage lui ont valu le surnom d'île des capitaines. Ils devaient partager le pouvoir avec les moines qui occupaient le prieuré dépendant de l'abbaye Saint-Gildas de Rhuys. Solide édifice classique, le logis du prieur abrite la mairie-école. En partie romane, l'église de la Nativité de Notre-Dame possède de curieux chapiteaux à bestiaire fantastique.

La statue de Notre-Dame d'Espérance, du XIXe siècle, était priée par les femmes afin que leur mari revienne sain et sauf. Au bourg et dans les villages, comme à Pennéro, les logis des matelots voisinent avec les maisons plus imposantes des armateurs.

La plage de Brouel est située dans l'un des secteurs les plus sauvages de l'île.

En provenance de la presqu'île de Conleau, les bateaux accostent à la pointe de Béluré.

LA PRESQU'ÎLE DE RHUYS

Premier port de plaisance de Bretagne avec une capacité de près de mille cinq cents places, Le Crouesty a été créé à partir de 1973 dans une anse marécageuse de la côte sud d'Arzon. Les structures d'hébergement ont accompagné les pontons, de même qu'un centre de thalassothérapie, à l'architecture «paquebot».

Le port de plaisance du Crouesty.

À Sarzeau, le hameau de Kérollet occupe une situation idéale sur les rives du golfe.

Saint-Armel, le passage.

À Saint-Armel, sur le pourtour oriental du golfe, l'île du Passage est reliée à la terre ferme. Elle est environnée de parcs ostréicoles, d'anciens marais salants et de vastes vasières qu'affectionnent les oiseaux de mer.

À l'entrée du golfe, Port-Navalo n'abrite plus que quelques bateaux de pêche et un petit musée du souvenir, installé dans la criée. Du pied de son phare (1891), la vue se déploie sur le golfe et ses courants extrêmement violents.

La plage de Port-Navalo.

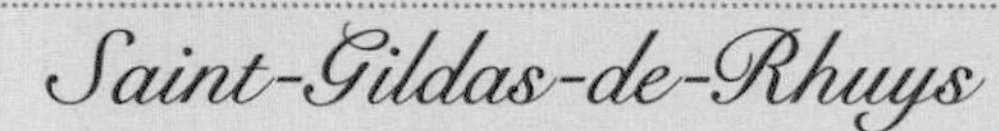

Saint-Gildas-de-Rhuys

La Bretagne est relativement pauvre en art roman. Aussi, malgré la reconstruction au XVIIIe siècle, dans le style ennuyeux propre à cette époque, de la tour, de la nef et du narthex, l'abbatiale de Saint-Gildas-de-Rhuys est un repère essentiel de l'histoire de l'art religieux. C'est au chevet que l'on apprécie le mieux sa sobre architecture du XIe siècle. Les piliers à chapiteaux qui séparent le chœur du déambulatoire donnent de la grâce à cet antique édifice.

Les parcs ostréicoles ont colonisé les anses et replis de la rivière de Penerf. Après l'épidémie de 1974, les huîtres portugaises ont été remplacées par une variété plus résistante, les gigas du Japon. Sur la rive opposée, à la pointe de Penvins, la chapelle Notre-Dame-de-la-Côte commande un immense panorama sur le littoral.

La chapelle de Penvins.

À un jet d'arquebuse de l'océan, l'une des résidences préférées des ducs de Bretagne, de Pierre de Dreux à Jean V, fut à la fois redoutable forteresse et demeure d'agrément. Pendant deux siècles et demi, du XIIIe au XVe, Suscinio se fortifia et s'embellit. À l'ombre de ses tours qui surveillaient le littoral, les ducs, proximité des marais et de la forêt oblige, cultivaient l'art de la vénerie.

Malgré les destructions de 1798, le château a de nouveau fière allure. Extérieur et intérieur (qui abrite un beau musée d'histoire) ont fait l'objet d'une remarquable restauration. Les pavements (vers 1330) de l'ancienne chapelle, ont conservé l'éclat de leur décor animalier.

Statue équestre d'Olivier de Clisson

Le château de Suscinio.

JOSSELIN

À coup sûr l'édifice emblématique de l'Argoat, le château de Josselin résume avec panache la Bretagne médiévale. Vue de l'Oust canalisée qui coule à ses pieds, une hautaine forteresse solidement accrochée au rocher, construite à la fin du XIVe siècle par Olivier de Clisson.

Contraste absolu, la façade intérieure, édifiée entre 1490 et 1505 par Jean II de Rohan, fait éclater, à grands renforts de lys, hermines et animaux fabuleux, l'ornementation gothique flamboyante de ses lucarnes et de sa balustrade.

Mais Josselin ne se résume pas à la demeure du duc de Rohan. La basilique Notre-Dame du Roncier, qui renferme des orgues du XVIIe siècle et le cénotaphe du connétable Olivier de Clisson et de son épouse, tout comme les nombreuses maisons à pans de bois des vieilles rues, méritent qu'on s'y attarde.

La cheminée du grand salon, de la fin du XVe siècle, illustre la devise des Rohan : «A plus», sculptée sur le manteau.

Chacune des dix lucarnes à deux étages est parsemée de nombreuses sculptures : lys, macles des Rohan, arabesques...

PONTIVY

Sur son tertre herbu surplombant le Blavet, le château de Pontivy dresse ses deux tours massives et ses courtines au-dessus de douves sèches. Construite à la fin du XVe siècle par Jean II de Rohan, modernisée par la suite, la forteresse devint la capitale du fief de cette puissante famille et n'a jamais changé de mains.

La cité présente un double visage pour le moins inattendu. D'abord des rues au tracé médiéval, à ruisseau central, bordées de maisons à pans de bois et de demeures Renaissance. Et puis, à côté, une ville nouvelle à l'ordonnance impériale, décidée par Napoléon pour contrecarrer au cœur de la Bretagne l'influence royaliste. La mairie, le tribunal et la caserne, à la sévère grandeur, rappellent le temps où Pontivy s'appelait... Napoléonville.

Sainte Noyale

Fille de roi en Grande-Bretagne, sainte Noyale traverse la Manche sur une branche d'arbre. Le seigneur Nizan, qu'elle refuse d'épouser, finit par la décapiter. Miracle, elle prend sa tête entre ses mains et se rend jusqu'au site de la future chapelle Sainte-Noyale, qu'elle choisit comme sépulture.

Le château des Rohan (XV et XVII siècles).

L'église Saint-Sauveur de Locminé

L'église Saint-Sauveur de Locminé surprend : un grand vaisseau contemporain en béton armé et charpente apparente, inauguré en 1975, est accolé aux portails gothiques du précédent édifice. Parmi les rares vestiges conservés, l'harmonieux retable de la Vraie Croix.

PLOËRMEL

Établi sur le cours de l'Yvel, l'étang au Duc s'allonge dans la verdoyante campagne de Ploërmel. Propriété, ainsi que les grands moulins, des ducs de Bretagne de 1257 à la fin du duché, il abrite désormais une importante base de loisirs nautiques.

ROCHEFORT EN-TERRE

Étagée sur un promontoire de schiste, la petite cité de Rochefort-en-Terre brille de tous les feux de son ancienneté soigneusement préservée et mise en valeur.

Au fil des rues fleuries, voici des hôtels des XVIe au XVIIIe siècles, la maison du sénéchal, les halles en fer à cheval, l'église romane et gothique Notre-Dame-de-la-Tronchaye, le calvaire ramassé autour d'une belle Crucifixion, le puits, des tourelles, des pans de bois, tout un passé comme recomposé.

À l'origine du renouveau de Rochefort, un peintre américain, Alfred Klots qui découvre la cité en 1903, construit le château actuel à l'emplacement d'une forteresse détruite sous la Révolution et incite les Rochefortais à sauvegarder leur patrimoine.

Ouverte à la visite, sa demeure abrite une belle collection de tableaux, meubles et objets précieux.

MALESTROIT

Autour de Malestroit, depuis 1830, l'Oust se confond avec le canal de Nantes à Brest. Au long d'un parcours verdoyant, les bateaux de plaisance suivent le chemin de halage.

Les halles de Questembert

Construites en 1675, les halles en chêne forment un impressionnant vaisseau à trois nefs de cinquante-cinq mètres de long et quinze de large. Elles sont d'autant plus précieuses que la quasi totalité des cohues anciennes de Bretagne ont disparu.

LA GACILLY

L'Aff traverse La Gacilly, petite cité fleurie et d'artisanat, aujourd'hui connue grâce aux laboratoires cosmétiques Yves Rocher (dont on visite le jardin botanique).

LA ROCHE-BERNARD

Du haut de l'ancien pont sur la Vilaine, on ne soupçonne pas que La Roche-Bernard abrite un quartier ancien où abondent les demeures patriciennes, comme la Maison du Canon, du XVIe siècle, et les logis ouvragés d'une lucarne ou d'une porte moulurée. Une ruelle pittoresque dévale jusqu'à l'échancrure de la Vilaine où s'abrite le port.

MUZILLAC

Au bord d'un étang aux amples frondaisons, le moulin à papier-chiffon de Pen Mur, autrefois à farine, perpétue une vieille tradition bretonne.

Arzal

Inauguré en 1972, long de trois cent quatre-vingts mètres, le barrage d'Arzal, chéri et mal aimé, a été chargé d'assagir les eaux de la Vilaine. Conséquence, une grande zone portuaire a donné un coup de fouet à la plaisance sur chacune des rives. Mais, au grand dam des mytiliculteurs et des pêcheurs de Tréhiguier, le barrage accélère l'envasement de l'estuaire de la Vilaine.

Les falaises rougeâtres de la pointe du Bile à Pénestin font face à des élevages de moules et d'huîtres.

Loire-Atlantique

VOYAGE EN BRETAGNE

La métropole nantaise et ses ramifications industrielles et portuaires de Donges-Saint-Nazaire impriment leur marque à la Loire-Atlantique, à cheval sur deux cultures, bretonne au nord, vendéenne au sud. La Brière et la presqu'île guérandaise affirment une vigoureuse autonomie, renforcée par leur appartenance passée à l'aire linguistique du breton. La duchesse Anne est née à Nantes, mais le vignoble appartient à l'espace ligérien, le pays de Retz regarde vers le Poitou, Clisson aborde aux rives de l'Italie et Châteaubriant à la cour de François 1er. Autant dire que de tout temps, la Loire-Atlantique fut un carrefour, un pays de marches.

LA CÔTE D'AMOUR

Depuis 1913, on désigne le littoral de la presqu'île guérandaise qui s'étend de Saint-Molf à Saint-Nazaire sous le joli nom de *Côte d'Amour*. Si l'agglomération balnéaire de La Baule ne remonte qu'au milieu du XIXe siècle, Le Croisic et La Turballe avaient déjà assis, au Moyen Âge, une flatteuse réputation de ports d'armement et de pêche. Sur ce rivage tout en contrastes, les pointes rocheuses succèdent aux dunes sableuses, les clochers anciens surveillent les marais salants, les écomusées de la vie traditionnelle voisinent avec les ports de plaisance.

La Turballe, retour de pêche.

L'église classique de Piriac-sur-Mer domine une flottille de pêche bien diminuée depuis que ses marins allaient traquer la morue. Quelques maisons d'armateurs des XVIIe et XVIIIe siècles rappellent cette époque héroïque. Les plaisanciers et amateurs de plage qui ont pris le relais ont été précédés par plusieurs célébrités du monde des lettres, Gustave Flaubert, Alphonse et Léon Daudet, Émile Zola.

Sloop traditionnel «Le Grand Norven».

La pointe du Castelli.

Soleil déclinant sur le port de Piriac-sur-Mer et l'église du XVIIIe siècle.

De la pointe du Castelli, jadis occupée, avance la légende, par des korrigans, on jouit d'une belle vue sur la côte sauvage avec ses rochers aux noms bizarres : le Tombeau d'Almanzor, les Oreillers, le Trou du moine fou, la Pipe, la Grotte à Madame…

Criée, coopérative, flottille ultramodernes : depuis 1970, La Turballe a mis tous les atouts de son côté pour ravir au Croisic le titre de premier port de pêche de Loire-Atlantique.

La Turballe - débarquement de la pêche à la sardine dans le premier port de pêche de Loire-Atlantique.

Installée sur le toit de la criée, la maison de la pêche conjugue les joies de la découverte d'un monde passionnant et les plaisirs gastronomiques (dégustation des produits de la mer au restaurant). Certes la dernière conserverie de La Turballe a fermé en 1989, mais l'atmosphère des quais a conservé un inimitable parfum de sel et de grand large. Au sud, une plage de cinq kilomètres a su résister aux sirènes d'une urbanisation désordonnée.

La plage de 5 km et son école de voile.

GUÉRANDE

Formidable vision du Moyen Âge que celle des remparts de Guérande, qui ceinturent la cité dans sa totalité. Quatre portes, onze tours, de puissantes courtines, le duché breton des XIVe et XVe siècles s'affirme et se défend avec vigueur au cœur d'une presqu'île prospère. Les grains, la vigne, le sel, le poisson, le commerce maritime, tout réussit alors sur ce littoral idéalement situé non loin de Nantes, entre les embouchures de la Loire et de la Vilaine.

Le gouverneur de la place résidait dans la porte Saint-Michel, magnifique leçon d'art militaire avec ses mâchicoulis, archères et créneaux. Elle abrite le musée du vieux Guérande aux somptueux costumes anciens des paludiers de Saillé et de Batz. Un boulevard extérieur permet d'admirer les autres portes, Vannetaise, Bizienne et de Saillé, ainsi que les murailles rehaussées d'un chemin de ronde.

À l'intérieur de la ville close, la collégiale Saint-Aubin veille sur les rues et ruelles où les maisons patriciennes et les hôtels particuliers s'ornent de portails, lucarnes et tourelles. Dans la chapelle Notre-Dame-la-Blanche fut signé, le 4 avril 1381, le second traité de Guérande qui consacra duc Jean IV de Montfort.

La Collégiale Saint-Aubin

Romane et gothique, la collégiale Saint-Aubin associe majesté et clarté. La façade sud attire l'œil par son élégant jeu de pignons et son porche flamboyant. À l'intérieur, la statuaire, les gisants, les vitraux, les chapiteaux, mélangent les périodes et les styles, dans une enrichissante diversité.

BATZ-SUR-MER

Entre océan et marais salants, coincé sur son étroite presqu'île, Batz-sur-Mer a longtemps vécu du sel, exploité sur ses quatre cents hectares de salines par les paludiers et vendu par les sauniers.

Deux sanctuaires s'y côtoient : l'église Saint-Guénolé, en gothique flamboyant, dont le clocher de soixante mètres domine la région, et la chapelle Notre-Dame du Mûrier, en ruine depuis 1820. Une gracieuse statue du sculpteur Jean Fréour signale le musée des Marais salants.

LES MARAIS SALANTS

L'étier du Pouliguen alimente les marais salants, fascinant puzzle de canaux et de bassins, les œillets, ponctués de taupinières blanches, les *mûlons*. L'eau de mer suit un étonnant parcours qui lui permet, peu à peu, de s'évaporer et au sel de se cristalliser.

En fin de journée, le paludier récolte le sel à l'aide de son interminable râteau, le *las*. Lors des pardons et fêtes, quelques paludiers portent l'habit traditionnel, culottes bouffantes, gilets de couleurs et vaste feutre.

Plan descriptif d'un marais salant.

Océan
étier
vasière
gobier
fares
adernes
œillets
mûlon de sel
ladure

LE CROISIC

Sans conteste, l'un des plus beaux ports de Bretagne, avec sa succession de bassins, les «chambres», ouverts sur le Grand Traict, le bras de mer qui alimente les marais salants. Bordés d'hôtels à balcons en fer forgé et lucarnes à fronton, dominés par le clocher classique de Notre-Dame-de-Pitié (reconstruit sous Louis XIV pour rivaliser avec celui de Batz), les quais vibrent encore du glorieux passé maritime du Croisic. Ils parlent de l'exportation du sel de la presqu'île, de la pêche à la morue, à la sardine, à la baleine et au hareng.

Face au port, le tourbillon ailé des mouettes et des goélands.

Plus près de nous, au XIXe siècle, ils se rappellent la création des conserveries, l'arrivée des premiers touristes (dès la Restauration !), le port fréquenté par les marins bigoudens et leurs épouses, les dentellières. Côté mer, les rochers de la côte sauvage, aux formes parfois inattendues, sont en permanence harcelés par les flots.

Le long des quais du Croisic, les maisons d'armateurs conservent le souvenir d'un passé prospère de pêche et de commerce.

L'Océarium du Croisic

Avec son architecture en étoile de mer, l'Océarium du Croisic offre une fascinante plongée dans la diversité et la richesse de la faune atlantique. Son aquarium-tunnel procure au visiteur l'impression d'être immergé au milieu d'un millier de requins, mérous et raies ailées. Une salle tropicale est réservée aux poissons des mers chaudes, alors qu'à l'air libre s'ébat une colonie de manchots du Cap.

La grande côte du Croisic.

Le rocher de l'Ours.

LA BAULE

Au cœur de dunes ombragées, le long d'une immense plage de huit kilomètres, desservie de plus par le chemin de fer, une nouvelle villégiature voit le jour en 1879.

Simple hameau d'Escoublac, La Baule finit par s'affranchir et accéder au rang de station internationale. Des financiers et urbanistes tracent les avenues et le boulevard côtier, construisent des palaces, enfouissent les villas dans les arbres. Tout est cossu, chic, de bon goût.

La plage de La Baule.

Le casino, l'institut de thalassothérapie Thalgo et l'Hôtel Royal.

Feu d'artifice estival.

Depuis lors, La Baule s'est démocratisé, les immeubles ont colonisé le front de mer, mais à l'arrière les quartiers résidentiels ont conservé l'atmosphère délicieusement surannée de l'architecture balnéaire de la fin du siècle dernier.

Le Pouliguen.
L'étier (ou canal entre mer et marais salants).

Équitation matinale sur la plage de La Baule.

LE POULIGUEN

À l'ouest de la grande plage de La Baule, Le Pouliguen n'a rien d'une station de création récente. À l'entrée de l'étier ou canal qui alimente les marais salants, son port de pêche remonte au Moyen Âge. Si le bourg conserve des maisons de pêcheurs, l'étier, converti en port de plaisance, est bordé d'immeubles contemporains.

PORNICHET

A l'initiative d'un armateur nantais et d'éditeurs parisiens, dont Camille Flammarion, les villas et les hôtels ont, dès 1860, colonisé les dunes et les pinèdes qui bordent à l'est la baie du Pouliguen.

Le titre de gloire de Pornichet est d'avoir vu le jour une vingtaine d'années avant La Baule. Son port de plaisance est curieusement situé en pleine mer, comme prêt à larguer les amarres et à appareiller.

Pornichet. Les Océanes, le dauphin du centre ville, le port de plaisance et la côte vers Sainte-Marguerite.

LA BRIÈRE

Un monde à part, secret, gorgé d'eau, parcouru de canaux, peuplé d'oiseaux sauvages. Dans la partie centrale, les sept mille hectares de la Grande Brière, propriété indivise des vingt et une communes riveraines, forme depuis 1970 un Parc naturel régional. Car il importe de sauvegarder le deuxième marais français, après la Camargue, et si possible de le faire vivre.

Autrefois, l'exploitation de la tourbe, des roseaux, l'élevage, la chasse et la pêche, faisaient vivre les familles briéronnes. Il serait dommage aujourd'hui que le tourisme maintienne sur place une activité uniquement saisonnière. En conséquence, le Parc développe l'accueil, l'animation, conseille les habitants en matière de rénovation de l'habitat et s'efforce de trouver de nouveaux débouchés aux activités traditionnelles.

Paisible promenade en barque au fil d'un canal frangé de roseaux.

Au cœur du marais, l'île de Fédrun rassemble autour de la *gagnerie*, la partie centrale réservée aux céréales, les chaumières, soigneusement restaurées. L'une d'entre elles, ouverte au public, constitue un écomusée attrayant. Tout autour, un canal, la *curée*, permettait à chacun de disposer d'un espace pour garer son chaland.

Soigneusement mis en valeur, le village de Kerhinet abrite un petit musée consacré aux traditions briéronnes. Au port de Bréca, des promenades en barque donnent accès à un monde spongieux, envoûtant, demeuré à l'écart de l'agitation et du bruit. Un monde qui se découvre au rythme lent des chalands entre les roselières.

La pêche à l'anguille

L'extraction de la tourbe en Brière a entraîné le creusement de zones envahies par l'eau, appelées «piardes». Ce sont les sites par excellence de la pêche aux «pimpeneaux», nom que l'on donne ici aux anguilles. Des ports de Bréca, La Chaussée-Neuve, Fédrun et Rozé, les chalands partaient pour la pêche à l'anguille, pratiquée à l'aide d'un râteau court, la «foëne», dont les dents permettaient de coincer le pimpeneau.

Pour les gourmets, jolie pêche d'écrevisses.

Autrefois, les chalands étaient utilisés aussi bien pour la pêche à l'anguille que pour le transport de la tourbe ou des roseaux.

SAINT-NAZAIRE

A l'embouchure de la Loire, Saint-Nazaire, hardiment reconstruite après la dernière guerre, offre le visage d'une ville qui vit par et pour la mer. La petite bourgade de quelque six cents âmes du début du XIXe siècle est devenue le quatrième port français ! Ses chantiers navals de l'Atlantique impressionnent à la fois par le gigantisme de leurs installations et par la beauté racée des navires, notamment des paquebots de croisière, qui en sortent. L'écomusée retrace la grande époque de la Transat, lorsque la ville était l'une des têtes de pont vers le Nouveau Monde. L'Espadon permet de découvrir la vie à bord de ce sous-marin, lancé en 1959, le premier à avoir navigué dans les glaces de l'Antarctique. Quand les lumières du port scintillent dans la nuit, la rade de Saint-Nazaire se nimbe d'une fascinante poésie. Long de 3 356 mètres, le pont de Saint-Nazaire offre un splendide panorama sur l'estuaire de la Loire et ses deux visages si contrastés, industriel au nord, balnéaire (Saint-Brévin-les-Pins) au sud. Le tablier central culmine à plus de soixante mètres au-dessus de l'eau.

Le port de Saint-Nazaire illuminé. Sculpteur de lumière : Yann Kersalé.

La base sous-marine.

Ce gigantesque bunker de 301 mètres de long, 18 mètres de haut, a été construit avec 480 000 m³ de béton armé, de janvier 1941 à décembre 1942. Deux flottilles de sous-marins *U. Boote (Wegener et Hundius)* sillonnaient l'Atlantique et utilisaient cette base pour leurs réparations et les chargements des torpilles. C'est seulement le 10 mai 1945 que le général allemand Junck accepta la reddition de la poche de Saint-Nazaire. Depuis 2000, elle accueille Escal'Atlantic, évocation saisissante d'un paquebot transatlantique qui fait revivre les espaces et les ambiances de ces navires de légende.

Les chantiers de l'Atlantique

SAINT-MARC-SUR-MER

Pour tous les passionnés du septième art, la plage de Saint-Marc-sur-Mer restera à tout jamais comme le cadre des *Vacances de M. Hulot.* C'est en effet l'Hôtel de la Plage de la station balnéaire nazérienne que choisit Tati pour tourner, en 1951, son célèbre film. On comprend que le cinéaste ait été séduit par l'atmosphère familiale de la plage de sable fin, encadrée par des falaises jaunâtres.

NANTES

La nef et le chœur de la cathédrale Saint-Pierre de Nantes.

Quelle que soit la conscience bretonne que revendiquent ses habitants, Nantes restera à jamais comme la capitale du duché de Bretagne à son apogée et son chant final. À l'intérieur des murailles médiévales, qui naguère plongeaient dans la Loire, François II puis sa fille Anne ont élevé le grand logis dans l'éclat d'une Renaissance encore influencée par le gothique flamboyant.

Reconstruite au XVe siècle à l'emplacement d'un sanctuaire roman (il en subsiste une crypte), la cathédrale Saint-Pierre a fait, après l'incendie de 1972, l'objet d'une restauration exemplaire. À l'intérieur, les piliers à l'élégante verticalité sont inondés de lumière. Le chef-d'œuvre absolu de la statuaire en Bretagne, le tombeau du duc François II et de sa femme Marguerite de Foix, a ét sculpté par Michel Colombe. Que de grâce et de puissance dans le gisants de marbre blanc et les quatre statues d'angle incarnant le vertus cardinales !

L'ancien cours de l'Erdre sépare les quartiers moyenâgeux e la ville des XVIIIe et XIXe siècles. La place Royale, la place et l quartier Graslin, le théâtre de Crucy illustrent l'apothéos de l'urbanisme classique quelques années avant l Révolution. Par contre, le Passage Pommeraye déve loppe sur ses trois niveaux agrémentés de rêveuse statues ce que le XIXe siècle a fait de plus féeriqu en France en matière de passages couverts. On comprend qu'il fut chanté par des créateurs d toutes disciplines, le cinéaste Jacques Demy, l'écri vain Pieyre de Mandiargues, Tardi, l'auteur d bandes dessinées.

Le tombeau de François II.

La cathédrale Saint-Pierre de Nantes.

Du côté du fleuve et de son ancien lit, hélas comblé entre les deux guerres, sur l'île Feydeau et le long des quais de la Fosse, les hôtels d'armateurs coiffés de frontons et chargés d'atlantes renvoient à un autre volet, plus discuté, du passé nantais : l'ère des grandes fortunes élevées grâce à la traite des noirs.

La métropole des Pays de Loire, qui garde la nostalgie de son passé ducal, sait que son avenir réside dans l'harmonieuse synthèse de sa double appartenance ligérienne et bretonne.

CHÂTEAUBRIANT

Aux confins de l'Ille-et-Vilaine et de l'Anjou, le pays de la Mée échappe aux grands flux touristiques. C'est dommage pour Châteaubriant, sa capitale, dont le château Renaissance semble transplanté des bords de Loire aux tranquilles campagnes bretonnes. Sa galerie à l'italienne avec arcades et colonnes de schiste, ses lucarnes couronnées de frontons et candélabres, son escalier à balcon, tout, à Châteaubriant, renvoie à un nouvel art de vivre soucieux de rejeter l'héritage médiéval dans les ténèbres extérieures.

Son auteur, Jean de Laval, gouverneur de la Bretagne, avait pour épouse Françoise de Foix, cousine d'Anne de Bretagne... et, pendant huit ans, maîtresse de François 1er. Laval ne tint pas rigueur de sa liaison à sa femme et en 1532 débutait le chantier de la souriante demeure, hymne à l'amour retrouvé.

Le château de Châteaubriant, propriété du Conseil Général de Loire-Atlantique, classé Monument Historique.

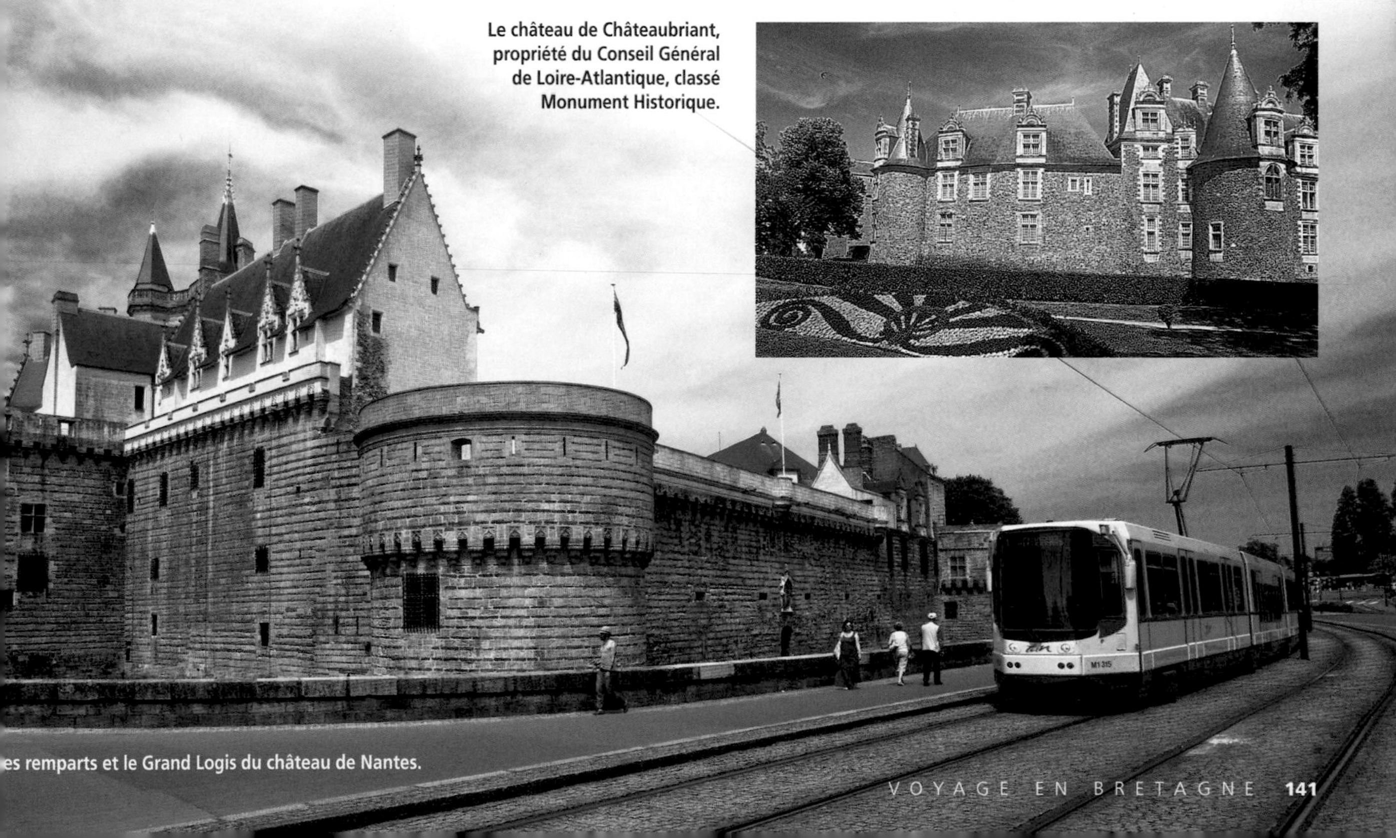
es remparts et le Grand Logis du château de Nantes.

Le phare d'Ar-Men, la sentinelle de l'extrême.

REMERCIEMENTS :

P. 12 - Marine nationale ; **P. 13** - Océanopolis ; **P. 14** - Goélette La Recouvrance ; **P. 20** - Jardins exotiques de Roscoff et de l'île de Batz ; **P. 30** - Écomusée des Monts d'Arrée ; **P. 32/33** - Le pont de Térénez. *Concepteurs : Michel Virlogeux, SETRA, Lavigne et Chéron Architectes ;* **P. 49 et 105** - Association Pen Duick. **P. 67** - Association «Une chaloupe pour Dahouët» ; **P. 72/117** - Associations des Fêtes Médiévales ; **P. 93** - Les amis du Sinago ; **P. 102** - Les Viviers Quiberonnais ; **P. 104** - La Trinitaine «Biscuiterie» ; **P. 118** - Le Cairn de Gavrinis, art et architecture néolithique, 3500 avant J.C. Propriété du département du Morbihan ; **P. 123** - Château de Suscinio, ancienne résidence des ducs de Bretagne (XIIIe-XVe siècles). Propriété du département du Morbihan ; **P. 132** - Océarium du Croisic.

Nous remercions également tous les châteaux et tous les cercles celtiques pour leur collaboration.

ILLUSTRATIONS :

P. 104 - Philippe Luguy.

CRÉDIT PHOTOGRAPHIQUE :

Photographies provenant du fonds photographique des Éditions Jos, à l'exception des pages suivantes :
P. 1 - *Pointe Saint-Hernot,* Andrew Paul Sandford ; **P. 4** - *Monts d'Arrée,* Andrew Paul Sandford ; **P. 5** - *Phare de l'île Vierge,* Julien Ogor ; **P. 7** - *Vue aérienne Pointe Saint-Mathieu,* Michel Le Coz - *Phare de la Pointe Saint-Mathieu,* Andrew Paul Sandford ; **P. 12** - *Porte-avions Charles de Gaulle,* Marine Nationale ; **P. 13** - *Tramway à Brest,* Michel Le Coz ; **P. 16** - *Scoubidou,* M.-A. Mazéas; *Phare du Four,* Frédéric Le Mouillour ; **P. 17** - *Phare de l'île Vierge,* Michel Le Coz ; **P. 18** - *Plouescat,* Andrew Paul Sandford ; **P. 21** - *Homard,* Michel Le Coz ; **P. 26** - *Saint Sépulcre de l'église de Saint-Thégonnec,* Michel Le Coz ; **P. 28** - *Château de Kerjean,* Michel Le Coz ; **P. 30/31** - *Lac de Brennilis,* Andrew Paul Sandford ; **P. 32** - *Vue aérienne de l'Aulne Maritime,* Frédéric Le Mouillour - *Pont de Térénez,* Michel Le Coz ; **P. 38/39** - *La place centrale de Locronan,* Yves-René Caoudal ; **P. 39** - *Troménie,* Yves-René Caoudal ; **P. 45** - *Dauphins à l'île de Sein,* Océanopolis, Thierry Joyeux ; **P. 48** - *Place au Beurre,* J.A. Mayet - *Place Terre-au-Duc,* Jo Labbé ; **P. 51** - *Les Glénan,* Gérard Fournier ; **P. 56/57** - *Phare de Men Ruz,* Michel Le Coz ; **P. 59** - *Fou de Bassan,* cliché Pix - *Macareux Moine,* Philippe Prigent ; **P. 63** - *Vue aérienne Ile de Bréhat - Moulin du Birlot,* Michel Le Coz ; **P. 66** - *Cathédrale,* Michel Le Coz ; **P. 69** - *Pétrel Fulmar,* cliché Pix - J.-L. Klein; *Mouette tridactyle,* cliché Pix - Millot ; **P. 71** - *Vue aérienne Saint-Cast-le-Guildo,* Michel Le Coz ; **P. 80** - *Bisquine,* Loïc Prodomme ; **P. 81** - *Lueur sur le Mont,* Ivan Anger ; **P. 85** - *Château, maisons à colombages de la rue d'En-Bas,* Jean-Alain Mayet ; **P. 86** - *Parlement de Bretagne,* Jo Labbé ; **P. 87** - *Théatre,* Jo Labbé ; **P. 88** - *Gravure, «La Bretagne Contemporaine»,* Félix Benoist ; **P. 89** - *L'hôtel de ville,* Jo Labbé ; **P. 91** - *L'Arbre d'Or - Mosaïque du Cerf Blanc,* Andrew Paul Sandford ; **P. 94** - *Cité de la Voile Eric Tabarly,* Jo Labbé ; **P. 98** - *Le Palais,* Jo Labbé - *Pointe des Poulains,* Michel Le Coz ; **P. 99** - *Le port de Sauzon,* Jo Labbé ; **P. 101** - *Vue aérienne de Belle-Ile-en-Mer,* Michel Le Coz - *Port de Sauzon, port de Le Palais,* Jo Labbé ; **P. 103** - *Fort de Penthièvre, plage de Saint-Pierre-Quiberon,* Jo Labbé ; **P. 106/107** - *Mégalithes du Menec,* Jo Labbé - *Vue aérienne du centre nautique,* Michel Le Coz ; **P. 108** - *Port de Saint Goustan,* Jo Labbé ; **P. 109** - *Sainte-Anne-d'Auray,* Jo Labbé ; **P. 111** - *Le Vieux Passage,* Jo Labbé ; **P.113** - *Chapelle Sainte-Barbe,* Andrew Paul Sandford ; **P.114/115** - *Lavoir et remparts de Vannes,* Jo Labbé ; **P.116** - *Port de plaisance, Maisons à colombages,* Jo Labbé ; **P. 117** - *Château de l'Hermine, Place Henry IV, La Porte Prison,* Jo Labbé ; **P. 120** - *Vue aérienne de l'Ile-aux-Moines,* Valéry Joncheray ; **P. 121** - *Vue aérienne de l'Ile d'Arz,* Valéry Joncheray ; **P. 122** - *Vue aérienne de la presqu'île de Rhuys,* Valéry Joncheray ; **P. 123** - *Château de Suscinio,* Jo Labbé ; **P. 128** - *La Turballe,* Claude Rannou ; **P. 134/135** - *Plage de La Baule,* Jo Labbé ; **P. 135** - *Vue aérienne du Pornichet,* Michel Le Coz ; **P. 138** - Valéry Joncheray, *sauf «Espadon» et vue du bas ;* **P. 139** - *Base sous-marine,* Valéry Joncheray - *Queen Mary II,* Claude Denis - *Saint-Marc-sur-Mer,* Jo Labbé ; **P. 141** - *Cathédrale Saint-Pierre, Château de Nantes,* Jo Labbé ; **P. 142** - *Phare d'Ar-Men,* Michel Le Coz ;

CONCEPTION GRAPHIQUE :

Studio graphique des Éditions Jos Le Doaré

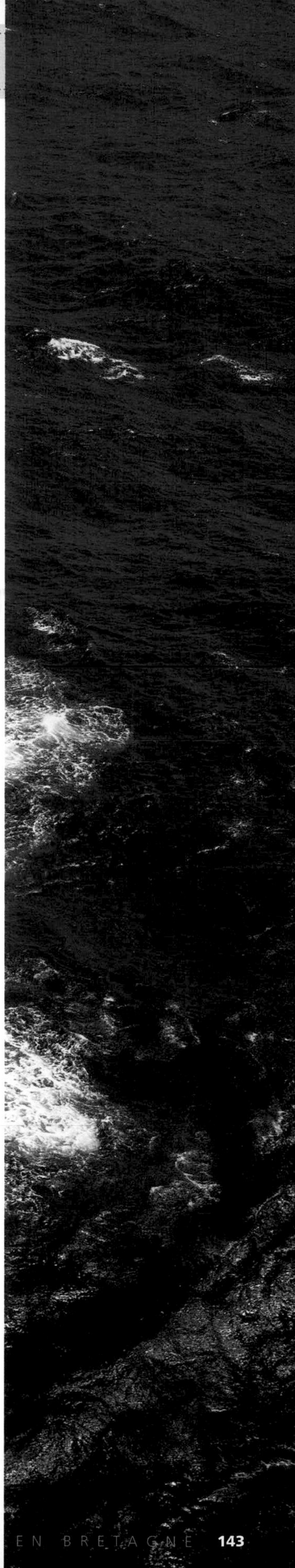

INDEX DES NOMS DE LIEUX ILLUSTRÉS

Achevé d'imprimer par Groupe Editor à Mâcon en Décembre 2013
pour le compte des Éditions JOS LE DOARÉ - 29150 Châteaulin
Dépôt légal : Juin 2012 - ISBN : 2-855-43322-3